For Willie MacGregor
with best wishes from
Sebastian Thewes(?)
July 1996

ÉCOSSE

Pour Bertie, Jamie, Arabella, Jemina et Victor.

Nombreuses sont les personnes qui nous ont aidés à réaliser ce livre, nous tenons à les remercier pour leurs encouragements. En particulier nos familles qui nous ont longuement et courageusement subis. Je remercie ma mère pour avoir scruté mon texte d'un œil de lynx et ma femme Henrietta pour sa patience. Je voudrais souligner le talent et la patience d'Anita Van Belle, qui m'a remarquablement traduit. Merci à tous ceux qui nous ont apporté leur précieuse aide : le duc d'Atholl, Alec Blackwood de Shore Porters Society et ses collègues, Archie Boyd, Jed et Jude Butler, Robert et Rosie Campbell-Preston, Matthew et Joannah Carse, Sam et Jeannie Chesterton, Dermot Chichester, Timothy et Jane Clifford, Timothy Dalton, André et Patricia Dalzon, Michael Dobson, Simon Doyle, John Elliott, Hazel Farren, John Fenston, Jonathan Findlay, Duncan Fitzwilliams, Clare Francis, Lord Gage, Philippa Gimlette, la famille Gordon, Victor Gubbins, le duc de Hamilton, John et Linda Hammerbeck, Charles Harcourt-Smith, Michael Henley, les Atholl Highlanders, Ted Hughes, Mina Hutton, Brian Ivory, le comte de Kimberley, Simon et Victoria Leatham, le marquis de Linlithgow, Rear Admiral John Mackenzie, directeur d'Atlantic Salmon Trust, Lady Macdonald, le comte de Mansfield, Peter Mantle, Willie Matheson, Willie McGregor, Alex et Jan Meddowes, Andy et Bridget Miller Mundy, Bumble Ogilvy-Wedderburn, Jarrod Offer, Peter O'Reilly, Hamish Orr-Ewing, Charles Powell, Lachlan Rattray, Charles et Araminta Ritchie, Sandy Irvine Robertson, James Irvine Robertson, Maurice Robson, Andrew et Sally St John, Colin Stephen, Jamie et Sarah Troughton, Edric van Vredenburg, Antony Walford, Dr Andy Walker, Miffy Waugh, Simon Wynberg. Et bien d'autres encore, sans qui ce livre n'aurait pu exister.

Sebastian Thewes

Merci à Giampiero Caiti notre éditeur chez Casterman, pour ses conseils et ses encouragements, à Isabelle Bernard qui m'a aidé à aller au bout de ce projet; à Christiane Brenstedt qui, la première, m'a permis de découvrir l'Ecosse ; à la famille Thewes qui m'a accueilli et guidé tout au long de ces séjours ; enfin, et surtout, à mon fils Victor qui me donne l'envie d'en faire beaucoup d'autres.

Yves Gellie

Mise en pages
Nicolas Gilson

Relectures
François de Peyret

Copyright © 1995 Casterman
ISBN 2-203-60209-0

SEBASTIAN THEWES • YVES GELLIE

ÉCOSSE

LES SECRETS DES HIGHLANDS

traduction française
Anita Van Belle

Blair Castle, résidence

du duc d'Atholl, est l'un des plus

beaux châteaux d'Ecosse.

Très ancien, certains le datent

du XIIIe siècle. Il a été transformé

et agrandi au cours des ans,

notamment au siècle dernier

quand le "bâtiment blanc,

simple et grand" décrit par

la reine Victoria devint l'imposant

château crénelé qui se dresse

aujourd'hui. La vaste salle de bal

lambrissée, qui fut la dernière

touche apportée par le XIXe siècle,

accueille de nos jours danses,

dîners, concerts et conférences.

L'Ecosse est

extrêmement fière,

imprégnée d'histoire

et de romantisme.

Les traditions

de l'Écossais sont

vivantes :

kilt, tartan et cornemuse

sont les éléments

forts d'une culture

et non d'aimables

distractions folkloriques.

Je me souviens d'un parcours

renommé sur la Spey.

C'était en août, il avait fait

très chaud, il n'avait pas plu

depuis longtemps et l'eau était basse.

Je me rendis à la rivière très tôt,

vers 5 heures du matin.

Peut-être que tout l'art de la pêche

au saumon est de déterminer

avec certitude si on a une chance

ou pas. J'étais certain que je

ne prendrais rien. Une nappe

de brouillard épaisse

de 30 centimètres flottait sur

la rivière. Ma ligne s'envola

puis fut happée par le coton.

J'avais mon walkman sur les oreilles,

j'écoutais Mozart, je m'amusais

à lancer, quand soudain

il y eut une brève secousse

puis plus rien. Les certitudes

sont parfois éphémères.

Vous reviendrez parfois

d'une journée sur

les collines bredouille,

transi, fatigué, trempé

comme une soupe,

les pieds couverts d'ampoules,

sans avoir rencontré un cerf

qu'il vous soit permis d'abattre,

le fusil n'ayant jamais quitté

son étui. Mais vous vous serez

allongé dans la bruyère,

vous aurez observé les cerfs,

et vous apprécierez

d'autant plus votre bain chaud

et votre whisky.

Les Highlands étaient une nation

constituée de grandes familles :

les clans. Au fil des siècles,

chaque clan, au travers de luttes

acharnées et sanglantes pour le pouvoir,

fut associé à une région d'Ecosse

en particulier. Autrefois, le chef régnait

sur le clan entouré de ses proches.

De son château, il rendait la justice, déterminait

sa politique et menait ses batailles.

Lorsque l'on s'accoude au
bar, c'est souvent devant
une "pint". Mais les plus
belles tournées sont arrosées
de whisky qui est plus
qu'un simple breuvage, c'est une religion.
Il existe fondamentalement
deux types de whisky :
le "malt", tiré de l'orge malté,
et le "blended", obtenu à partir
d'un mélange de différents malts
avec un whisky plus économique
à base de céréales non maltées.
Les procédés d'élaboration
du "single malt" et du "blended"
sont tenus jalousement secrets.

L'élevage d'ovins et de bétail

est la clef de voûte de l'économie

agricole des Highlands et des îles.

La viande de bœuf écossaise

est renommée, comme celle de

la race Highland Cattle, l'ancienne souche

des Highlands, mais l'animal

croît lentement, dans des

conditions climatiques difficiles.

Ce livre retrace les découvertes qu'Yves Gellie et moi avons faites, et que nous partageons aujourd'hui avec vous. Nous aimerions qu'il lève un coin du voile sur les secrets enfouis qui pourraient échapper au visiteur. Les étendues sauvages de l'Ecosse sont des endroits magiques, au mystère palpable et la sauvagerie préservée du paysage des Highlands est d'une beauté à couper le souffle.

Jusqu'à l'âge de 25 ans, je ne m'étais pas aventuré au-delà de Hampstead, un quartier du nord de Londres. Je ne connaissais pratiquement rien de l'Ecosse. Mon seul savoir était tiré des romans de John Buchan, que l'on m'avait fait découvrir à 11 ans. Dès ce moment, je dévorai toute son œuvre, et je la relis aujourd'hui. Si vous ne la connaissez pas encore, je vous recommande *les Trente-Neuf Marches*, *John Macnab* et *l'Ile aux moutons*. Publiés au début du siècle, ces romans n'ont pas vieilli d'une ride grâce à la clarté de leur langue, de leur intrigue et de leur évocation de la vie en Ecosse.

A cette époque, un de mes amis, Charles Harcourt-Smith, fonda une association, "Les amis de la société d'Hadrien", dont je devins le trésorier (Hadrien était cet empereur romain qui, incapable de soumettre les Ecossais, fit bâtir au nord de l'Angleterre en l'an 118 av. J.-C., un mur courant d'une côte à l'autre pour les empêcher d'entrer). Peut-être que cette association vit le jour parce que le Premier ministre de l'époque, Harold MacMillan, était écossais, et qu'il fut suivi par un autre Ecossais, sir Alec Douglas-Home. L'intention déclarée de l'association était de rapatrier tous les Ecossais qui vivaient en Angleterre car, bien qu'il subsiste des vestiges du mur d'Hadrien, ce dernier n'a jamais arrêté les Ecossais une seule seconde, et ils sont probablement aussi nombreux en Angleterre qu'en Ecosse. Ma tâche n'était pas exténuante, étant donné que pas une livre ne fut versée à la caisse.

TERRE D'ECOSSE

Nous étions peu nombreux, et nous pensions être terriblement drôles. Mais je dus démissionner immédiatement lorsque je rencontrai ma future femme, Henrietta, écossaise, membre de la vieille famille des Wedderburns. Lorsque j'accomplis enfin mon premier voyage en Ecosse, je fus subjugué par la beauté du paysage et les vastes horizons, et plus encore par les traditions encore vivantes de courtoisie, d'hospitalité, de générosité, de gaieté, de prudence et d'attention accordée à la vie familiale, qualités que je sentais, à tort ou à raison, disparaître en Angleterre. J'étais enchanté par le mystère et le romantisme, le mythe et la fable. Le mode de vie décrit par John Buchan dans les livres que je dévorais avec tant de plaisir dans mon enfance semblait presque intact. Vingt ans plus tard, les mêmes traditions perdurent dans la région des Highlands où je vis aujourd'hui.

A cette époque, j'étais frappé par le peu d'activité agricole, en comparaison du sud de l'Angleterre où la terre faisait l'objet d'une culture intensive. On aurait dit que chaque centimètre carré resté libre était labouré : haies arrachées et engrais chimiques utilisés à grande échelle, avec pour résultat la destruction de populations d'animaux sauvages, d'oiseaux et d'insectes sacrifiés sur l'autel de la balance commerciale.

Un jour, je me rendis à une chasse au faisan, près de Stonehenge, dans le Wiltshire, en Angleterre. Nous ne vîmes pas un seul oiseau sauvage. Ni merles, ni grives, ni mésanges, ni passereaux. Il n'y avait ni lapins, ni lièvres. Par contre, nous avons trouvé à profusion de gros faisans apprivoisés, que nous avons tirés, avec l'illusion de faire corps avec la nature.

En 1978, nous achetâmes Strathgarry, maison située dans les Highlands, au nord de Pitlochry, au cœur même de l'Ecosse. C'est une grande demeure victorienne bâtie sur un site occupé depuis le XV siècle. La propriété comprend

14 hectares de bois et un parcours d'un kilomètre de pêche au saumon sur la Garry, affluent de la Tay. Cinq minutes après avoir passé le seuil de la maison, je peux être à la pêche, le téléphone qui me relie au bureau dans la poche de ma veste. Avec la maison nous acquîmes un jardin secret, entouré de murs, d'une surface d'un demi-hectare, ainsi qu'une série de bâtiments de ferme du XVIIIe siècle que nous avons restaurés. Dans ce complexe, une salle accueille réceptions et séminaires. Quelques photographes de mode l'utilisent également comme studio. Nous avons mis sur pied un festival de musique de chambre, qui s'y déroule chaque année sous le patronage de lord Yehudi Menuhin. Le reste du temps, cet espace est utilisé pour des concerts et des ateliers musicaux. Un paysage sauvage, nu, magnifique s'étend vers l'est sur 80 kilomètres. On n'y rencontre que collines et landes, moutons, cerfs, renards, lièvres, lapins, coqs de bruyère, lagopèdes, corbeaux, aigles et faucons. Les oiseaux y sont légion, résidents ou visiteurs. A l'automne, les oies nous arrivent des climats polaires d'Islande et du Groenland. Elles hivernent ici ou un peu plus au sud. En février et mars, le courlis, le vanneau et l'huîtrier viennent des basses terres de la côte pour se reproduire. En avril et mai, les hirondelles, les martinets et les hirondelles de fenêtre arrivent d'Afrique, du sud du Sahara, pour retourner à leur lieu de naissance. C'est une distance énorme à parcourir. On dit que chaque année, le désert s'étend et rallonge leur vol. Juste à côté de chez nous, la Royal Society for the Protection of Birds a établi une réserve qui s'étend sur 700 hectares. Soixante espèces nichent sur ce territoire et plus d'une centaine y ont été observées. Pendant l'hiver, à la saison de la chasse, on peut voir les faisans intelligents courir vers ce sanctuaire pour fuir les coups de feu, gratter quelque peu le sol et retourner le soir, une fois tout danger écarté, vers leurs perchoirs abondamment garnis de blé. Les faisans stupides restent près de leur blé. Il semble bien que ce soit ceux-là que nous mangions.

Au début de notre mariage, nous vivions dans le sud de l'Angleterre, à quelque 80 kilomètres de Londres. La ville étendait déjà ses tentacules et la campagne environnante se transformait en banlieue. La densité du trafic devenait insupportable. Aujourd'hui, dans Londres et ses environs, plus de voitures circulent au kilomètre que partout ailleurs en Europe. Ce fut cette urbanisation, jointe à la possibilité d'un emploi, qui motiva notre départ pour l'Ecosse. Nous ne voulions pas élever nos enfants sur le territoire encombré du sud de l'Angleterre.

Je travaillais dans le domaine de l'antiquité et des beaux-arts, partageant mon temps entre Londres et Paris. Ce fut l'époque où les deux plus grandes salles de vente londoniennes, Christie's et Sotheby's, connurent l'expansion qui les mena à la position dominante qu'elles occupent aujourd'hui sur le marché mondial. L'une des clefs de cette expansion fut l'implantation de représentants un peu partout en Grande-Bretagne. Ils devaient constituer un lien personnalisé entre les propriétaires locaux et les commissaires-priseurs, réglant expertises et ventes. Le mouvement entamé par Christie's et Sotheby's fut suivi par deux autres salles londoniennes, plus petites, Phillips et Bonhams. Cette dernière me proposa d'ouvrir un bureau en Ecosse. Je travaillai pour eux jusqu'à ce que la crise économique les contraigne à se restructurer et que je sois engagé par Christie's, il y a quinze ans de cela.

Travailler pour Christie's comme représentant est un métier curieux, une sorte de croisement entre le médecin de campagne et le chasseur de trésors. Pour commencer, les gens qui veulent vendre une œuvre d'art ont en général besoin d'argent. Par conséquent, il faut être délicat et discret, souvent même au point de leur garantir l'anonymat. Je me suis régulièrement trouvé dans la position de cacher mes visites, même à ma femme. Un chasseur de trésors en difficulté par manque de connaissance dans un certain domaine peut, chez Christie's, faire appel à de nombreuses compétences. Lorsqu'il est perdu face à une pièce, il peut consulter un collègue expert, et son enthousiasme ou sa froideur le renseigneront. C'est une excellente manière d'apprendre. Après un certain temps, il peut acquérir ainsi un savoir assez étendu. Malheureusement, l'écho qu'a donné la presse à la découverte d'objets de valeur a conduit énormément de gens à penser qu'ils avaient peut-être un Rembrandt dans leur grenier. On tombe sur beaucoup de fausses pistes. Aujourd'hui, je travaille encore pour Christie's en tant que consultant. C'est une manière de choisir mon travail et de passer les Rembrandt à quelqu'un d'autre. Les salles de vente ont de très bonnes raisons de vouloir s'implanter en Ecosse. Ces raisons tiennent principalement à l'économie écossaise. Au cours des siècles, des fortunes privées substantielles y ont été amassées. Les Britanniques ont beaucoup voyagé à travers l'Europe, et ils ont réuni de grandes collections, principalement aux XVIIIe et XIXe siècles. A cette époque, on disposait de moins d'informations qu'aujourd'hui. Le vendeur et l'acheteur ne connaissaient pas forcément la nature ni la valeur de l'objet de la transaction. Les grandes œuvres d'art étaient encore abordables. En Ecosse, de nombreuses maisons regorgeaient de trésors. Au fil des années et des héritages, des dons ou des ventes, des trésors furent dispersés (il était encore fréquent il y a une trentaine d'années de vendre les maisons meublées). Vers la fin du XIXe et au début du XXe siècle, lorsque le marché de l'art commença à se développer, beaucoup d'objets furent vendus, cédés ou prêtés à des musées. En 1882, le duc de Hamilton fit appel à Christie's et vendit en dix-sept jours la majorité des biens que contenait Hamilton Palace. Cette collection importante, d'une grande valeur, atteignit 400 000 livres à la vente. Elle comprenait des tableaux de Bellini, Botticelli, Mantegna, Rubens, Rembrandt, de Dürer et d'autres encore. On y trouva des œuvres d'art, des sculptures et des pièces d'argent Renaissance. Quelle serait la valeur d'une

telle collection aujourd'hui ? Cent millions de livres ? Plus ? En 1945, la National Gallery of Scotland obtint le prêt de tableaux appartenant au duc de Sutherland. Ils y sont encore visibles aujourd'hui. Cette collection étonnante rassemble des Raphaël, des Rembrandt, des Poussin et des Tintoret. Malgré tout cela, de nombreuses toiles et d'innombrables œuvres sont restées dans le domaine privé, où on les traite parfois inconsidérément – et de grandes découvertes restent à faire. Il y a toujours une raison pour vendre, celle qui est la plus souvent invoquée étant l'entretien des propriétés.

Si vous vous penchez sur une carte d'Ecosse et que vous observez les Highlands, vous constaterez que de grandes étendues de terre sont inhabitées. Cette campagne nue est parcourue par des hardes de cerfs. Les nombreux lochs servent de repaire à la truite brune. Les landes sont traversées de rivières à saumons. Dans certaines régions, on chasse la grouse (notre coq de bruyère). Partout, on tire lapins et lièvres. En terme d'agriculture, la terre n'a qu'une valeur très réduite. Tout son intérêt réside dans les possibilités de loisirs qu'elle offre. Dans les premières années du XIXe siècle, quand des sports tels que la chasse au cerf à l'approche, la pêche au saumon ou la chasse à la grouse ont commencé à être très appréciés, ce facteur a influencé le prix des terres. Ce qui auparavant avait peu de valeur est soudain devenu très cher. De nos jours, il y a un marché spécifique pour les domaines sportifs des Hautes Terres. Leur coût ne peut soutenir la comparaison avec les revenus financiers tirés d'investissements conventionnels (1). Les propriétaires de parcours de saumon et de chasses n'en attendent pas un revenu significatif

**Scott View,
près d'Abbotsford**

(excepté peut-être en valeur actuarielle pour le futur). Ils sont assez riches et peuvent se réserver les meilleurs parcours et les plus belles chasses de leurs terres. Ces propriétaires, très souvent, ne sont pas écossais, mais anglais ou non-britanniques. Ces domaines ont été vendus par leurs premiers occupants il y a bien longtemps de cela, et ont fréquemment changé de mains depuis. Le problème des propriétaires dans les Highlands d'Ecosse, c'est que leur terre ne produit pas naturellement un revenu proportionnel à sa valeur. La valeur d'une terre en termes d'agriculture est une chose. Mais la valeur réelle de la terre est faussée par la plus-value qu'apporte le sport, et si le propriétaire d'une terre ne peut pas s'appuyer sur une source extérieure de revenus, il subira des pressions pour vendre à ceux qui le peuvent.

La terre n'est vendue qu'en dernier recours, c'est la dernière chose dont un homme accepte de se séparer. Quand un domaine se porte mal, ce sont les emplois superflus qui sont supprimés en premier lieu. Ensuite, on cherche d'autres moyens. Si un tableau a de la valeur, il sera décroché, avec l'espoir que le produit de la vente rétablira indéfiniment l'équilibre menacé. Malheureusement, c'est rarement le cas. Et si un nouveau venu est en mesure de rétablir les emplois perdus, de construire, ou de rénover, il sera élevé au rang de bienfaiteur par une partie de la communauté. Mais il entraînera aussi des ressentiments dans son sillage. Ce sera toujours le cas, tant qu'il se trouvera des employés et des employeurs. Des deux côtés, ce à quoi on aspire correspond rarement à ce qui est offert. Certains disent que ce système est artificiel, que les terrains de chasse, qui constituent la plus grande partie du territoire des Highlands et des îles d'Ecosse, sont devenus un lieu de divertissement pour les riches. En soi, cet argument n'a pas à être réfuté, mais il n'en demeure pas moins que commercialement la terre n'est pas viable, et que l'économie de cette région est largement soutenue par l'injection de capital issu de la chasse et de la pêche.

Je m'en voudrais de laisser entendre que pratiquer un sport en Ecosse est extrêmement cher. Ce n'est pas le cas. On peut trouver un bon parcours de saumons pour 10 livres par jour. Ici, à Strathgarry, la rivière est rarement généreuse mais j'invite souvent les gens du pays : "Venez pêcher quand vous voulez, prévenez-nous, au cas où nous pêcherions nous-mêmes (ce que nous faisons rarement), nous ne louons pas, le premier poisson est pour la maison, le deuxième est pour vous, vous ne payerez rien..." Personne, au grand jamais, n'accepte mon offre. C'est peut-être une caractéristique de la psychologie humaine – ce qui ne se paie pas ne peut être bien. Ou alors, et c'est plus plausible, les gens se méfient d'un cadeau. Dans une même logique, si vous voulez tirer un cerf, la chasse sera onéreuse, mais si vous êtes courageux, chasser la biche en plein hiver ne vous coûtera pratiquement rien.

(1) Par exemple, pratiquement toutes les pêches au saumon d'Ecosse sont des propriétés privées et peuvent être – sont – objet de ventes et d'achats. Leur valeur est établie sur base de la moyenne des poissons qui y ont été pris dans les cinq années précédant. Une bonne rivière – une rivière dont la moyenne avoisinerait cinq cents poissons par an – peut valoir aux environs de 8 000 livres par poisson, c'est-à-dire 4 millions de livres, (A la fin des années 80, la valeur d'une pêche au saumon pouvait atteindre 15 000 livres par poisson.) Investis de manière traditionnelle, 4 millions de livres devraient rapporter 250 000 livres à un taux d'intérêt de 6%. Le montant de la location qui peut être perçue sur une bonne rivière à saumons oscille entre 200 et 300 livres (au maximum) par année et par poisson. Une rivière dont la moyenne est de cinq cents poissons ne peut donc produire un revenu annuel supérieur à 150 000 livres (1 150 000 francs). Et il faut déduire de cette somme le salaire d'au moins un homme, ses frais de logement, de transport, total qui se montera à 30 000 livres par année au minimum. D'autres pêches, moins productives, descendent jusqu'à 4 000 livres par poisson par année. La valeur d'une chasse de cervidés est calculée de la même manière, d'après le nombre d'animaux tués en un an. Une bonne forêt de cervidés, d'une surface de 8000 hectares environ, et où trente cerfs seraient tués à l'année, verrait son prix monter à 17.000 livres par tête de cerf. Pourtant, la location d'une chasse tourne autour de 250 livres par cerf abattu et, à nouveau, il faut retirer de cette somme le salaire d'un garde-chasse, son logement et ses frais de déplacement.

UNE

HISTOIRE

DE FAMILLES
L'Ecosse est une nation

extrêmement fière, imprégnée d'histoire et de roman-

tisme. Son nom, Scotland, remonte au XIe siècle, lors-

qu'une partie du pays fut baptisée Scotia (la tribu des

Scots l'habitait). Les Ecossais sont fiers de leurs pro-

pres traditions, ainsi que de leur langue, le gaélique.

L'usage de cette langue est tombé en déclin, et elle

n'est plus parlée couramment, sauf dans les îles

Hébrides et sur la côte ouest. Même là, elle tendait à

disparaître, mais aujourd'hui, son enseignement a

repris grâce à un regain d'intérêt pour l'identité natio-

nale. Aux Ve et VIe siècles, une population importante

de Scots et de Gaëls passa de l'Irlande à l'Ecosse. De

nos jours, le gaélique parlé en Irlande est encore très

proche du gaélique écossais. Avant l'arrivée de

ces tribus, l'Ecosse abritait une civilisation plus

Page précédente. **Le charme romantique des ruines du château de Dunnottar, au sud d'Aberdeen, près de Stonehaven.**

ancienne : celle des Pictes. On trouve trace de ce nom dans les écrits d'un Romain, Eumenius. En 297 apr. J.-C. il nomma "P*ictii*", "hommes peints", les habitants de ce qui constitue l'Ecosse actuelle. Bien qu'ils nous aient laissé un héritage extraordinaire, d'autant plus déconcertant et séduisant qu'il est incompréhensible, nous ignorons presque tout de ce peuple. Ils nous ont légué un ensemble de pierres levées, enrichies de symboles indéchiffrables, réparties dans toute l'Ecosse. Leur concentration est plus forte dans les Highlands et les îles. Tout ce que nous avons pu tirer de ces pierres se borne à une connaissance de la répartition géographique de la population picte, ainsi que quelques renseignements sur les objets qu'ils fabriquaient, armes ou harnachements. Parmi ces objets, fort peu sont parvenus jusqu'à nous. Quelques bijoux d'or et d'argent rehaussés d'émaux, splendides et raffinés, sont visibles au National Museum d'Edimbourg. C'est à travers la civilisation picte que le christianisme apparut en Ecosse, comme en témoignent les pierres levées sur lesquelles sont gravés des symboles chrétiens. Mais nous ne savons rien, ou presque rien, de la culture des Pictes. Leur langage et leur littérature se sont perdus. Quant à eux, ils disparurent il y a un millier d'années.

VIEUX ACCENTS ET AULD ALLIANCE

L'anglais est parlé partout en Ecosse, mais chaque région le colore de son accent, qui peut être parfois très appuyé. Je me souviens de ma première visite à Glasgow. J'étais arrivé en train. Je devais me rendre à une adresse précise. Je me suis approché d'un taxi et j'ai demandé qu'il m'y conduise. Le chauffeur m'a répondu. Je n'ai pas compris un traître mot de ce qu'il me disait. Je lui ai alors demandé de répéter. Face à un tel brouillard linguistique, j'ai souri, acquiescé, et je suis monté dans la voiture. Laquelle s'est mise en branle pour s'arrêter une cinquantaine de mètres plus loin. Le chauffeur a dit quelque chose d'incompréhensible. Je jetai un coup d'œil à l'immeuble devant lequel j'étais arrêté. C'était ma destination. Je réalisai alors qu'il m'avait dit : "Inutile de prendre un taxi, c'est un peu plus haut dans la rue." Vingt ans plus tard, j'éprouve encore des difficultés à comprendre l'accent de Glasgow, d'autant plus que les gens de la ville y parlent un argot qui n'est utilisé nulle part ailleurs. L'anglais pratiqué en Ecosse comporte des mots qui ne sont pas employés en Angleterre. Certains d'entre eux trouvent leur origine dans la langue française. Ainsi, en anglo-écossais corbeau se dit *corbie*, assiette *ashet*, gigot d'agneau *gigot*. Ces mots et bien d'autres, seraient passés dans l'usage courant entre 1295 et 1560, dates de la signature des traités de l'Auld Alliance (vieille alliance), qui visaient à consolider l'union entre l'Ecosse et la France contre leur ennemi commun, l'Angleterre. Il se pourrait aussi qu'ils remontent à une époque encore plus lointaine, celle où le français était la langue de la noblesse écossaise. Au nord-ouest de l'Ecosse, l'accent est très pur et l'intonation particulière. La langue y est parlée avec un amour et une précision qu'on ne trouve pas ailleurs en Grande-Bretagne. Les accents les plus prononcés s'entendent à Glasgow et dans les environs d'Angus et d'Aberdeen, régions coupées géographiquement du reste de l'Ecosse pendant plusieurs siècles et où subsistent des dialectes différents, totalement incompréhensibles pour un étranger. Les habitants d'Aberdeen qui parlent ces dialectes en sont extrêmement fiers.

La Vieille Alliance a amené la France et l'Ecosse à apprécier leurs cultures respectives. En Ecosse ce phénomène a particulièrement touché les Highlands. Les Ecossais sont tombés amoureux du vin de Bordeaux, le *claret*. C'est aujourd'hui le vestige le plus tangible de cette vieille alliance : les Ecossais n'ont pas perdu leur goût pour le vin français. L'une des meilleures raisons de cet engouement est à chercher dans la fraîcheur des caves écossaises, idéales pour la lente maturation des grands crus. En effet, un bordeaux vieilli dans une cave en Ecosse gagne une plus-value financière par rapport au même vin stocké ailleurs, fût-ce à

Bordeaux même. Ici, à Strathgarry, nous disposons d'une cave immense, mais malheureusement, pour une raison difficile à définir, le vin n'y reste jamais très longtemps. Les relations historiques et les liens économiques entretenus avec l'Angleterre n'ont pas amoindri le désir des Ecossais d'être considérés à part. En tant que membre du Royaume-Uni, le pays dépend du gouvernement britannique qui siège à Westminster, fort loin des Ecossais. Le Parlement européen est souvent considéré avec dédain. Une partie de l'opinion publique est en faveur d'un parlement indépendant. C'est un problème complexe qui soulève les passions. Les opposants avancent que l'Ecosse est en bonne place à Westminster, que ses intérêts y sont bien défendus et que son économie est inextricablement liée à celle des trois autres pays membres du Royaume-Uni, l'Angleterre, le Pays de Galles et l'Irlande du Nord – surtout dans la perspective de l'unité de l'Europe, dont l'Ecosse est dorénavant une province. D'autre part, les partisans de l'indépendance invoquent exactement le contraire : des intérêts mal servis et la nécessité d'une autonomie économique.

Les Ecossais ont toutes les raisons de défendre leur héritage. C'est de là qu'ils tirent leur singularité d'esprit même lorsqu'ils sont expatriés, car plus de vingt millions d'Ecossais ou de descendants d'Ecossais vivent à l'étranger. La plupart conservent farouchement leurs traditions.

LES CLANS

Les Highlands étaient une nation constituée de grandes familles : les clans. Au fil des siècles, chaque clan, au travers de luttes acharnées et sanglantes pour le pouvoir, fut associé à une région d'Ecosse en particulier. Autrefois, le chef régnait sur le clan entouré de ses proches. Il exerçait la justice, déterminait sa politique et menait ses batailles. A notre époque, il a perdu ses pouvoirs, mais sa place dans le clan en tant que famille reste importante – il est le patriarche. Chaque clan porte un nom et admet un chef. Tout Ecossais, par ses lointains ancêtres, fera remonter ses origines à un clan. Il en existe soixante au total. Le protocole veut que l'on s'adresse au chef du clan Macnab en lui donnant son titre de Macnab of Macnab. Ce dernier vit à Fife, dans le pays des Drummond. Ce n'est pas inhabituel : beaucoup de chefs de clan vivent en dehors de leur territoire. Nous habitons le pays des Murray, des Robertson et des Stewart. Le chef de clan de la lignée des Murray est le duc d'Atholl dont le domaine s'étend à l'est et au nord de Strathgarry. Struan Robertson of Struan, le chef du clan des Robertson, vit dans le sud de l'Angleterre où il cultive le houblon, mais tout comme de nombreux chefs, il revient en Ecosse pour les réunions claniques. Le chef des Robertson est également à la tête du clan Donnachaidh, un nom gaélique qui signifie "les enfants de Duncan".

Depuis le XIIe siècle, cette famille détenait de grandes étendues de terres dans la région d'Atholl. Peu à peu, ces terres ont été vendues, en grande partie aux ducs d'Atholl. Aujourd'hui, il leur en reste fort peu.

En 1994, une réunion clanique hors du commun se déroula à Pitlochry dans le cadre des célébrations du centenaire du clan Robertson. Elle fut mise sur pied par Sandy Irvine Robertson, qui dirige son propre négoce en vins à Edimbourg : la Irvine Robertson Wines. Sandy est un original ; découvrant qu'il y avait des Robertson viticulteurs un peu partout à travers le monde il se mit à les recenser. Ses recherches zélées aboutirent à une liste impressionnante. Du jour au lendemain, Pitlochry fut le siège d'une dégustation de vins Robertson. Nous bûmes des vins français, américains, sud-africains, australiens, néo-zélandais et du porto du Portugal, tous élevés par des Robertson. Je ne serais pas surpris qu'il soit possible d'organiser des dégustations de vins Mackenzie, Macpherson, Campbell ou Macleod. Mais il faudrait l'énergie et l'esprit d'entreprise de Sandy pour les organiser.

L'esprit de clan survit dans des pays très éloignés de l'Ecosse. Il s'y renforce même. Des réunions claniques se tiennent aux Etats-Unis, au Canada, en Australie, en Nouvelle-Zélande et en Afrique du Sud. Aujourd'hui, chaque clan est reconnaissable à son tartan. Ce mode d'identification est relativement récent puisqu'il date généralement du XIXᵉ siècle. Si chaque clan possède son propre tartan – parfois même plusieurs – il n'existe aucune régle pour en déterminer le choix. C'est au chef de décider quels seront les tartans qui caractériseront son clan. D'ailleurs, bien que les motifs claniques soient précisément identifiés, les industriels du textile en inventent de nouveaux tous les jours. L'un des plus renommés, celui du Black Watch, s'est taillé un succès international. C'est une composition discrète de vert foncé et de bleu. Ce motif remonte probablement au XVIIᵉ siècle, quand le Black Watch apparut comme milice de surveillance dans les Highlands, avant de devenir un régiment célèbre de l'armée britannique. Il y a des groupes d'Ecossais dans presque tous les pays du monde. Ils transforment en grande occasion chacune de leurs rencontres. Seules deux fêtes les rassemblent tous. La première, Hogmanay, se déroule le 31 décembre. Elle célèbre la fin de l'année écoulée et le début de l'année nouvelle. La seconde, appelée Burns Night Supper, commémore la naissance du poète Robert Burns, le 25 janvier 1759. Elle réunit les Ecossais du monde entier. «Rabbie» Burns, poète et auteur de ballades le plus célèbre d'Ecosse, est chéri par ses compatriotes pour ses idées démocratiques, son mépris des classes sociales et sa foi dans la fraternité humaine. La soirée d'hommage commence de manière très formelle, par la dégustation du

haggis, apporté à table au son des cornemuses. Ce plat national écossais est une sorte de pudding composé de cœur, de foie et d'abats de mouton émincés et mélangés à de l'avoine, de la graisse, des oignons, du poivre et du sel. Cette farce garnit une panse de mouton. Bien que cela ne semble pas très appétissant, c'est un plat qui peut être délicieux, surtout quand il bénéficie de ce petit plus que mon beau-père appelait "une fourchetée de whisky". Vous versez jusqu'à ce que vous soyez certain que la fourchette est pleine.

Au début du souper, on vante très solennellement les mérites du *haggis*. Robert Burns, qui affirmait que ce plat remplissait le soldat écossais de férocité, est l'auteur d'un poème mémorable à ce sujet : *Address to a Haggis*. Cette formalité terminée, la joyeuse soirée peut commencer, accompagnée de chansons, de danses et de force whisky. Pour cette raison, un Burns Supper a généralement lieu un samedi soir, au plus près possible de la date anniversaire, car si le souper ne s'achève pas à l'aube, c'est que la fête n'était pas réussie.

LES STEWART

Le nom de Stewart vient d'un Breton qui arriva en Angleterre après la conquête normande, et dont le fils émigra au nord, vers l'Ecosse, au milieu du XIIᵉ siècle. Walter fitz Allan, tel était son nom, fut élevé à la dignité de Lord High Steward [surintendant] of Scotland par le roi David.

"Steward" devint "Stewart" qu'il adopta comme patronyme. On pense que l'orthographe "Stuart" fréquemment employée résulterait de la francisation du nom advenue bien plus tard, la lettre "w" étant à cette époque absente de la langue française. "Stuart" est l'orthographe courante du nom de la lignée royale qui donna quatorze rois à l'Ecosse, dont cinq furent couronnés souverains d'Angleterre. Le premier des rois Stewart, David II, était le petit-fils de Robert the Bruce.

De tous les Stewart, le monarque le plus révéré fut la reine Mary Stewart, Mary, Queen of Scots, exécutée le 8 février 1587 sur l'ordre de sa cousine, la reine Elisabeth I. L'espace nous manque pour rejouer ici cette tragédie, mais vous en apprendrez plus en consultant un livre intitulé *Mary Queen of Scots, The Crucial Years* dont l'auteur est le duc de Hamilton, descendant de la reine. Dans la région des Borders, à Traquair House, on peut voir un masque mortuaire qui serait celui de la reine Mary. Etant donné sa physionomie, le duc conteste son authenticité. Les reliques historiques sont parfois discutables. Lors de mes déplacements en Ecosse pour Christie's, j'ai vu assez de mèches de cheveux de Bonnie Prince Charlie pour remplir un coussin, peut-être même un matelas. Elles ne pouvaient pas toutes lui appartenir, à cause du volume bien sûr, mais aussi des différences de couleur.

Le dernier souverain Stewart à régner sur l'Angleterre fut la reine Anne, morte en 1714. Cependant, la reine actuelle, Elisabeth II, est une descendante directe de la lignée des Stewart par les femmes, et son fils, le prince Charles, porte, en tant qu'héritier du trône, le titre de Lord High Steward of Scotland.

Le dernier roi d'Ecosse Stewart, James VII, fut déposé par les Anglais et forcé de fuir en 1688. Comme on pouvait s'y attendre, il se réfugia en France. En 1689, une rébellion royaliste menée par le vicomte Dundee souleva les Highlands. Le 27 juillet, une bataille se déroula à Killiecrankie. Un régiment anglais de Red Coats, fort de quatre mille hommes, essentiellement des Ecossais, franchit le col de Killiecrankie. Cette armée royale, commandée par un Ecossais des Lowlands, le général MacKay, ressortit à découvert, attendue par les rebelles de Dundee dissimulés dans les collines en surplomb. Les soldats du roi étaient armés de mousquets. Ils pouvaient tirer une seule fois, puis il leur fallait recharger ou ajuster leur baïonnette (à cette époque, la baïonnette n'était pas encore fixée au côté du fusil). Les Highlanders étaient armés de haches et d'épées. Les deux armées se défièrent pendant deux heures. Alors les Highlanders lancèrent la charge. Les Red Coats avaient à peine tiré leur première salve que déjà les rebelles étaient sur eux. La bataille fut courte et sanglante. Plus de six cents Highlanders périrent, la plupart victimes des premiers coups de feu, et plus de deux mille cinq cents soldats de l'armée anglaise furent tués. Parmi les rebelles se trouvait un prêtre catholique. Il offrit quartier au premier officier qu'il rencontra, fut débouté, lui trancha la gorge et s'en alla tuer quinze hommes de plus. Après la bataille, sa main droite était si enflée qu'il fallut cisailler la poignée de son épée. Ce fut une défaite considérable pour l'armée anglaise, mais Dundee fut tué dans la bataille et sa mort modifia le cours de la rébellion. Un mois plus tard, à la bataille de Dunkeld, une troupe de Highlanders fut acculée à la retraite par une force bien inférieure en nombre. Les Highlanders n'eurent pas l'opportunité de charger. Par contre, les soldats du roi étaient bien placés pour tirer. Privée de l'autorité de Dundee, la rébellion s'éteignit. Ensuite, d'autres révoltes échouèrent.

En 1745, le prince Charles Edward Stewart, petit-fils de James VII, débarqua en Ecosse pour relancer la rébellion et réclamer le trône. Il est inutile de débattre ici de cette expédition malheureuse ni d'en détailler le résultat. Son échec a plusieurs causes. Tout d'abord, la dynastie des Hanovre, qui prétendait également au trône d'Angleterre, avait trouvé de nombreux soutiens actifs en Ecosse. Ensuite, une certaine apathie régnait, étant donné que les soulèvements précédents avaient été de profonds désastres. De plus, le prince Charles était en désaccord avec le commandant des clans, lord George Murray, un général brillant, ce que le prince n'était pas. La rébellion fut définitivement écrasée le 16 avril 1746 par une armée royale conduite par le duc de Cumberland. Du point de vue des Highlanders on peut parler de massacre. Le prince réussit à s'échapper, tout comme lord George Murray. Un ancêtre de ma femme, sir John Wedderburn, enrôlé volontaire pour défendre la cause des Stewart, fut fait prisonnier. On confisqua son titre et ses terres. Il fut décapité à Londres pour trahison.

Aujourd'hui, les Stewart sont largement dispersés à travers l'Ecosse, et dans le monde entier. Pour compliquer le tout, trente-sept familles aux patronymes divers sont considérées comme descendantes directes du clan, sans compter, bien entendu, tous ceux dont la généalogie induirait un lien avec les Stewart. Leur tartan est sans doute le plus répandu. Son motif écarlate se rencontre sous forme de jupe dans les villages les plus reculés d'Espagne, en écharpe à Tokyo ou taillé en gilet pour une vedette de rock à Paris.

Alors que je me penchais sur les origines de cette famille pour mon ouvrage, un voisin et ami, James Irvine Robertson, m'apporta cette citation, tirée d'une publication sur les Stewart datant de 1890 : "Il y eut des Stewart pour se vanter d'être les descendants illégitimes de princes et de rois qui, lors de leurs chasses au cerf, courtisaient les servantes des Highlands au fond de gorges reculées." D'après James, la force des clans réside dans la

manière dont les mariages étaient agencés. Le premier-né de la lignée épousait une aristocrate. Le deuxième aussi, s'il en avait la possibilité. Mais le troisième, le quatrième, le cinquième, le sixième, le septième enfant se voyaient contraints de choisir leur conjoint plus bas dans l'échelle sociale, parce qu'ils étaient en perte de noblesse. Cela signifiait que les membres du clan devenaient de plus en plus interdépendants, sans se situer sur le même plan économique. Le chef de famille était duc alors que sa plus jeune sœur avait épousé un fermier travaillant vingt acres de terre (environ 8 hectares). Leurs enfants respectifs se mariaient au sein de la sphère sociale à laquelle ils appartenaient, etc. Le fait qu'ils puissent tous revendiquer un ancêtre roi ou gentilhomme leur conférait et leur confère encore une résolution commune. Voilà la force des clans. Un proverbe gaélique dit : "*Stiubhartaich, cinne nan righ s'nan ceard*" ("Stewart, race de rois et de mendiants").

C'est en observant ce monticule émergeant d'une mare à Edimbourg que Stevenson eut l'idée de son roman le plus célèbre : "l'Ile au trésor".

Intérieur de Hill House (Helensburgh), conçu par l'architecte écossais le plus célèbre du XXᵉ siècle, Charles Rennie Mackintosh.

Masque funéraire
de Marie Stuart,
dont l'authenticité
est cependant
contestée.

Traquair House,
une des plus belles
demeures d'Ecosse, et ses
"Steekit Yetts" ("Stuck gates").
Selon sir Walter Scott,
son portique restera fermé
jusqu'à ce qu'un
Stewart accède à nouveau
au trône d'Angleterre.

Page précédente. **Glencoe.**
Pour les Écossais, le souvenir du massacre de 1692 hante
encore ces douces collines. Sir Walter Scott
s'en inspira pour le décor de ses épopées flamboyantes et sinistres.

Abbotsford, demeure exotique et fantaisie architecturale, fut
voulue par sir Walter Scott à l'image de ses romans.
La collection de 20 000 livres
fait encore aujourd'hui la renommée
de sa bibliothèque.

Floor Castle, demeure du duc de Roxburgh,
est une des maisons d'habitation les plus vastes de Grande-Bretagne.
Ses immenses salles sont décorées d'une belle collection
de meubles anciens, de quelques toiles de maître remarquables
et d'une série exceptionnelle de tapisseries.

L'Ecosse recèle d'innombrables jardins
aussi secrets que luxuriants, comme ici à Strathgarry.

Les Higlands étaient divisés en autant de domaines,
qu'il y avait de clans. Le chef de clan régnait
en maître absolu sur ses terres que géraient ses
"vassaux". La force des clans déclina à la fin du XVIIIe siècle
lorsque les Anglais désarmèrent la région.

Andrew Gordon et son fils Duncan,
surintendant du duc d'Atholl,
propriétaire lui-même. Son "Tiger Moth"
datant de la Première Guerre mondiale
lui permet d'inspecter l'immense
étendue des propriétés.

La notion de clan
reste bien vivante.
Les cérémonies importantes
sont autant d'occasions
pour réunir ses membres.
Construits en principe
comme places fortes
défensives, les châteaux
deviennent à la Renaissance
des demeures d'apparat.

Partie de billard
au château d'Ardverikie.
Charles, Johanna
et Michael Smyth-Osbourne
et leurs amis.
Le style gothique
"nuptial" du bâtiment
rappelle étrangement
les fastes bavarois
de Louis II.

Lors d'une
exposition d'histoire
naturelle à Dunrobin
Castle (Sutherland)
lord Strathnaver
présente un
exemplaire
remarquable de rat
(empaillé).

Garrogie lors d'une
pause le jour de l'ouverture
de la chasse à la grouse.
La lande se teint de rouille,
d'or et de vert comme le tweed.

Les plus jeunes spectateurs suivent avec grand intérêt la chasse à la grouse.
Pour le pique-nique qui la clôture, bien sûr, mais aussi pour la chasse elle-même.
Car la première grouse et a fortiori le premier cerf tirés sont des événements
d'importance dans la vie de l'Ecossais(e).

43

La "vie de château"
a ses inconvénients,
les enfants passent l'année
scolaire loin de leurs parents
en internat dans de prestigieux
collèges. Les vacances sont le
temps des retrouvailles et des
jeux. Ici une petite danseuse à
Errol Park chez Lewis Heriot
Maitland.

VOYAGE DANS LES BASSES TERRES

Géographiquement,

l'Ecosse est divisée en trois régions : les Lowlands au

sud, le centre qui comprend Edimbourg et Glasgow,

et les Highlands – auxquelles il faut ajouter les îles. La

géologie de l'Ecosse est extraordinaire. Elle témoigne

de changements très variés qui s'y sont produits sur

des millions d'années et ont laissé des dépôts de

minéraux rares, y compris de l'or. Les roches les plus

anciennes de Grande-Bretagne se trouvent au nord-

ouest de l'Ecosse et sur les îles occidentales. Je

l'ignorais quand j'ai posé le pied sur l'île Harris et

Lewis, dans les Hébrides, pour la première fois. Ce

n'est que plus tard, au fil de mes lectures, que j'ai

compris pourquoi j'y avais été saisi d'un sentiment

d'éternité, de l'impression de me trouver à l'endroit

de la création du monde, bien avant l'apparition

Page précédente. **Plages de l'île Harris**

de l'homme sur terre. Rien n'a corrompu ce sol primitif. Notre monde civilisé a créé un cocon qui nous coupe des éléments et émousse nos sens. Nos paysages et nos maisons sont des artefacts. Les roches de Lewis sont vieilles de trois millards d'années. Elles sont encore vierges. Etant donné la richesse de sa géologie, il n'est pas surprenant que l'Ecosse ait donné à cette science ses grands pionniers. L'étude de la géologie européenne, entamée au XIIIe siècle par James Hutton, natif d'Edimbourg, fut poursuivie au cours du XIXe siècle par de nombreux Ecossais dont sir Charles Lyell, né à Angus dans les Highlands. Appelé le "père de la paléontologie", celui-ci fut le mentor de Charles Darwin. Darwin prétendait que toutes ses idées se trouvaient dans la tête de Lyell. Les deux grandes œuvres du maître : *Principes de géologie* (1830) et *Eléments de géologie*, qui intégraient de nombreuses propositions de James Hutton, furent des ouvrages de référence pour le XIXe siècle et restent primordiaux.

La superficie de l'Angleterre est de 130 000 kilomètres carrés. Sa population s'élève à 50 millions d'habitants. La superficie de l'Ecosse est de 78 000 kilomètres carrés pour une population de 5 millions d'habitants, dont 3 millions sont concentrés autour de Glasgow et d'Edimbourg. Les Highlands et les îles sont peu peuplées. Dans la région d'Inverness, 204 000 personnes vivent sur un territoire de 2,5 millions d'hectares. La population des îles

est encore plus clairsemée. Skye, la plus grande île des Hébrides intérieures avec 1 386 kilomètres carrés, a une population approchant 9 000 habitants. Lewis et Harris, qui constituent à elles deux la plus grande des Hébrides extérieures (ce ne sont pas deux îles séparées) comptent moins de

Old man of Storr. Cette aiguille déchiquetée domine les Trotternish Mountains au nord de Portree, chef-lieu de l'île de Skye.

25 000 habitants répartis sur 1 786 kilomètres carrés. En 1901, 30 millions de personnes vivaient en Angleterre et 4,5 millions en Ecosse. En cent ans environ, la population de l'Ecosse a connu une croissance d'un peu plus de 10 % alors que le nombre d'habitants en Angleterre a augmenté de 70 %. Pour vous donner une idée de ce que ces chiffres signifient en termes d'espace signalons que plus de gens vivent à Paris que dans toute l'Ecosse.

Ce phénomène n'est pas un hasard. Bien que la plus grande partie des revenus de l'Ecosse provienne(nt) d'autres sources, son économie est basée sur l'agriculture. Partout où il est possible de le faire, la terre est cultivée. Les nouvelles exploitations agricoles utilisent du matériel de pointe. Une ferme mixte, qui employait vingt personnes au tournant du siècle, en emploie deux aujourd'hui. Les terres des collines ne sont pas productives. Elles font vivre une poignée de bergers et de gardes-chasse. Depuis l'époque où il y eut un avantage fiscal à planter des conifères, ces larges étendues se sont couvertes de régiments d'épicéas. Ces arbres, strictement alignés sans beauté, détruisent l'équilibre naturel du sol, abritent la vermine et bloquent les routes qu'empruntaient les cervidés. Ils grandissent lentement dans un sol acide et froid. Plantés près d'une rivière, la pluie qui glisse sur leur tronc acidifie les eaux au détriment des frayères de saumon, ralentissant la fertilisation des œufs et leur croissance.

Notre environnement suit une logique. Pourquoi l'œuf de saumon se développerait-il dans une eau dont la pureté a été altérée par un élément étranger nuisible à son développement ?

LES LOWLANDS Pour arriver en Ecosse par le sud, il vous faudra traverser la frontière avec l'Angleterre, qui suit approximativement le tracé du mur édifié par l'empereur Hadrien. Ce mur ne freina jamais les Ecossais, qui au cours des siècles, firent de nombreuses incursions en Angleterre pour y voler des moutons, de l'argent, des chevaux, du bétail et des femmes. A leur tour, et pour les mêmes raisons, les Anglais opérèrent quelques rafles en Ecosse. La discorde entre les deux pays dura jusqu'au milieu du XVIIe siècle, lorsque la stabilité politique amena plus de richesses, la constitution de villes et la construction de grandes demeures. Cette période de trouble a laissé des traces, ruines de châteaux, de tours, que l'on peut encore voir un peu partout en Ecosse.

De nos jours, la région des Borders offre un paysage magnifique, tranquille et pastoral. C'est une région très importante pour l'élevage du mouton. Rien qui attire vraiment le touriste. A l'ouest, les alentours de Galloway et de Dumfries sont pratiquement intacts. A l'est, la Tweed, grande rivière à saumons, serpente au travers de bois vallonnés.

Sur son cours on trouve Abbotsford, Traquair House et Floors Castle, trois grandes demeures ouvertes au public.

Abbotsford est l'œuvre de sir Walter Scott, l'écrivain écossais le plus célèbre et le plus prolifique. Il fit construire cet édifice imposant entre 1812 et 1814. Son architecture fut critiquée comme trop fantaisiste. Aujourd'hui, la maison est un musée consacré à la vie de l'écrivain. Elle abrite sa collection de reliques écossaises qui comprend une toile macabre représentant la tête de la reine Marie Stuart, peinte le lendemain de sa décapitation.

En comparaison, Traquair est d'une grande beauté. On dit que c'est la plus vieille maison d'Ecosse à être habitée en permanence. Bien qu'elle date en grande partie du XVIIe siècle, le site qu'elle occupe est bâti depuis le XIIe. Face à la maison, une allée bordée d'arbres se termine par des portes éternellement closes. La légende veut que Bonnie Prince Charlie soit le dernier Stewart à les avoir franchies, en 1745. Le comte de Traquair jura alors qu'elles ne se rouvriraient pas avant qu'un Stewart ne remonte sur le trône.

Située près de Kelso, Floors Castle a la réputation d'être la plus vaste habitation d'Ecosse. Colossale, elle loge le duc de Roxburgh. Ses origines remontent à 1718, mais elle a été largement remodelée au XIXe siècle dans un style gothique. Floors Castle abrite une belle collection de meubles anglais et français du XVIIIe, des porce-

laines d'Europe et d'Orient, ainsi que des toiles de Gainsborough, Hogarth, Reynolds...

Aux abords de la Tweed, toujours près de Kelso, on trouve le manoir de Mellerstain, demeure du comte et de la comtesse de Haddington. C'est l'une des plus splendides demeures du pays. Sa construction fut entamée par William Adam en 1725, et achevée par son fils Robert en 1778. Elle offre une collection de meubles anglais qui inclut des ouvrages de Chippendale, Hepplewhite et Sheraton, ainsi que des toiles de Gainsborough, Constable, Veronese et Bassano. La région compte bien d'autres maisons dignes d'être visitées. L'une d'elles, Manderston, proche de la ville de Duns, est une magnifique demeure edwardienne qui s'enorgueillit d'un escalier d'argent réputé unique.

De toutes les grandes maisons à l'ouest des Borders la plus importante est sans aucun doute Drumlanrig Castle, siège du duc de Buccleuch. Situé à proximité de la ville de Thornhill, cet énorme palais bâti en grès rose fut terminé aux environs de 1690. Ici aussi, on trouve une belle collection de tableaux peints par Rembrandt, Holbein, Murillo, ainsi que de beaux meubles français, dont un cabinet offert à Charles II par Louis XIV.

Toutes ces maisons sont accessibles au public, mais il est indispensable de consulter un guide pour connaître leurs heures d'ouverture. Je me souviens de ma première visite à Edimbourg. Tous les magasins étaient inexplicablement fermés. Lorsque je me renseignai, j'appris que c'était pour célébrer l'anniversaire de la reine Victoria.

GLASGOW ET ÉDIMBOURG

Glasgow et ses environs constituent le principal pôle commercial et industriel d'Ecosse. Cette région est donc la plus peuplée du pays. Glasgow est une ville immense, étendue et chaleureuse. Il m'a fallu du temps pour l'apprivoiser. Au départ, comme pour toute ville industrielle importante, il est difficile pour un étranger de s'y orienter. J'ai découvert progressivement qu'elle recélait des trésors, qu'elle jouait un rôle important sur le plan de la culture, avec une vie musicale et artistique florissante, d'excellents musées et galeries, et de bons restaurants. Sa qualité principale reste à mes yeux la chaleur de ses habitants. Si vous visitez Glasgow pour la première fois, la chose la plus intelligente à faire est d'engager un guide.

Une grande rivalité oppose Glasgow à la capitale, Edimbourg. D'énormes différences les séparent. L'atmosphère chaotique de Glasgow contraste avec l'austérité affichée d'Edimbourg, dont le caractère de respectabilité est inscrit dans son architecture autant que dans le caractère de ses habitants. Si vous pensez vous lancer dans l'étude des injures écossaises, c'est vers Glasgow qu'il faut vous tourner, pas vers Edimbourg.

Celle-ci est bien plus petite, avec ses 400 000 habitants, et son centre, conçu de telle manière que l'on s'y retrouve facilement au bout d'un jour ou deux. Toutefois, si vous deviez n'y faire qu'un

bref séjour, promenez-vous et ne consacrez que peu de temps aux musées et aux galeries. Seule la National Gallery vaut la peine qu'on y passe une bonne demi-journée.

La ville est dominée par le château, forteresse naturelle depuis les temps les plus reculés. La plupart des bâtiments d'Edimbourg ont une architecture magnifique. Au nord du centre-ville se dresse ce que l'on appelle la ville nouvelle, New Town, qui fut bâtie à la fin du XVIIIe et au début du XIXe siècle. Elle offre des rues larges, des places spacieuses, des maisons classiques, sobres et élégantes, aux nobles proportions. Dans une certaine mesure, et à plus petite échelle, l'aspect formel et la générosité du dessin général me rappellent Paris. Au centre, on trouve de bons hôtels et restaurants. C'est l'endroit idéal pour faire ses emplettes. Outre le château, les visiteurs peuvent se rendre au palais de Holyrood, résidence de la reine Elisabeth lors de ses visites officielles. Le Festival d'Edimbourg, l'un des plus importants sur le plan international, présente en été, des concerts, des spectacles de danse et de théâtre, des expositions de grande qualité.

En vous dirigeant vers le nord, vous trouverez rapidement la campagne. Avant de traverser la Forth et de faire route vers les Highlands, il vous reste deux maisons intéressantes à visiter : Dalmeny et Hopetoun House. Dalmeny, la maison du comte et de la comtesse de Rosebery, conserve de splendides meubles français et de reliques de Napoléon parmi lesquelles des meubles qui appartenaient à l'empereur durant son règne et d'autres objets, moins importants, qu'on lui imposa lors de son séjour à Sainte-Hélène. Hopetoun House est la demeure ancestrale des marquis de Linlithgow. Ce très bel édifi-

18, Halifax street, au centre d'Edimbourg fut une des adresses de R.L. Stevenson.

ce classique bâti en 1700 fut revu et agrandi par William Adam et son fils John qui y travaillèrent entre 1721 et 1754. La maison et ses terres sont ouverts au public. L'actuel marquis de Linlithgow vit dans une aile privée du château.

PERTH La tradition veut que Perth, ville ancienne, jadis capitale des rois, marque la frontière entre les Highlands et les Lowlands. Cette ville paisible s'étend sur les rives de la Tay, le plus grand fleuve d'Ecosse, à un endroit où les marées se font encore sentir. A l'épicentre de l'agriculture du pays, c'est là que se déroulent les ventes de taureaux les plus importantes. Un marché au bétail s'y tient tous les vendredis. C'est un chef-lieu de comté, bien fourni en magasins et supermarchés. On y trouve un théâtre et un cinéma. Un air aimable de respectabilité et de prospérité y flotte. Elle fut couronnée récemment "ville la plus agréable à vivre de tout le Royaume-Uni". Perth est parsemée de belles maisons georgiennes car l'hiver, la haute bourgeoisie avait coutume d'abandonner la campagne et ses froides demeures pour une vie plus confortable à la ville. Le long de la Tay, on découvre le Scone Palace, tout proche. Les rois d'Ecosse s'y faisaient couronner. En 1802, on rebâtit à cet emplacement l'hôtel particulier du comte de Mansfield. Cette maison magnifique est ouverte au public et contient une belle collection de meubles français d'époque. Chose inhabituelle en Grande-Bretagne, on peut également y voir une collection d'ivoires sculptés de provenance européenne, ainsi qu'une collection unique de laques "vernis martin".

DUNDEE Dundee se situe à l'est de Perth, sur l'embouchure de la Tay. Célèbre et prospère au XIXe siècle en tant que capitale mondiale de l'industrie du jute, la ville a connu depuis une centaine d'années un lent déclin, dû à la concurrence internationale tout d'abord, puis à la disparition du jute, supplanté par d'autres matériaux. De grands efforts ont été faits en vue d'y implanter de nouvelles industries. L'octroi de subventions importantes a poussé des multinationales comme Michelin ou NCR à s'établir. Mais le vieux centre-ville a été détruit par un urbanisme sauvage. Ici, comme dans tant d'autres villes européennes, la pratique coûteuse de la restauration a cédé le pas aux promoteurs. De nouveaux immeubles, rentables, éphémères, ont été construits en pagaille. Le cœur de Dundee a cessé de battre. Sa visite ne sera pas une priorité pour le touriste, sauf s'il tient à constater qu'ici aussi les requins de l'immobilier sont capables du pis, tout comme dans certains quartiers de Londres, de Paris, de Bruxelles et d'ailleurs. Bien sûr, tout désert a ses oasis, mais j'ai bien peur qu'elles soient infiniment rares à Dundee, quel que soit l'heureux caractère de ses habitants et la qualité de son université.

ABERDEEN La ville d'Aberdeen, à 80 kilomètres plus au nord, a été transformée par sa prospérité récente plutôt que par un quelconque appauvrissement. Aberdeen s'étend sur la côte entre les embouchures de la Dee et de la Don. La silhouette de la "ville de Granit" a été profondément altérée par la construction d'immeubles modernes de verre et d'acier, conséquence de la puissante industrie qui s'est développée avec la découverte de pétrole et de gaz naturel dans les fonds marins, au nord et à l'est de la ville. Depuis vingt-cinq ans, l'exploitation de ces ressources a suscité d'énormes investissements. Malgré son isolement, la vieille ville d'Aberdeen avait prospéré dans le calme au cours des siècles grâce à l'exportation de lainages et de poisson séché vers l'Europe. Cette prospérité a laissé des vestiges extraordinaires. La Shore Porters Society est la plus vieille entreprise de transport au monde. Fondée en 1492 pour le transport du poisson, elle effectue aujourd'hui des déménagements en Grande-Bretagne et dans le monde entier. Au XIXe siècle, Aberdeen

50

devint, à l'instar de Dundee, une ville cossue. Avec le développement du chemin de fer, elle assura l'approvisionnement des marchés anglais en poisson. Ses chantiers de construction navale prospéraient. Elle exportait son granit partout dans le monde. Le mausolée de Napoléon III est fait de granit d'Aberdeen. Celui de la reine Victoria également. On retrouve ce matériau en abondance à Londres et jusque dans les rues de Rio de Janeiro. Mais cette industrie a décliné, on ne construit plus de mausolées. Même le marché de la pierre tombale est en déclin. Aujourd'hui, les préférences vont à la crémation, assortie d'une minuscule stèle, et quoique la clientèle s'agrandisse, elle ne suffit guère à relancer le granit d'Aberdeen.

Les Ecossais ont la réputation d'être économes. Cette réputation n'est pas tout à fait usurpée. Les placements écossais sont renommés pour leur stabilité. Les Anglais aiment plaisanter à ce sujet. Deux histoires qui ont pour cadre Aberdeen illustrent ce soin que les Ecossais prennent de leur argent.

En l'an 1319, le roi Robert the Bruce, après un combat long et douloureux contre les Anglais, récompensa les citoyens d'Aberdeen de leur soutien loyal en leur offrant sa chasse, une forêt dont les revenus devaient servir le bien public. Géré précautionneusement, ce Common Good Fund se monte aujourd'hui à plus de vingt millions de livres. Mais si vous parlez avec les habitants d'Aberdeen de la manière dont cet argent est dépensé, vous les entendrez grommeler de mécontentement à propos de voyages commerciaux à Moscou, d'argent qui n'aboutit pas aux pauvres et nécessiteux de la ville et de l'administration chargée du Common Good Fund qui s'est éloignée de l'intention royale.

Il y a à Aberdeen un vieux pont qui enjambe la Don, et qu'on appelle B*rig o' Balgownie*. Il date du XIXᵉ siècle. En 1605, un petit legs de 2 livres, 5 shillings, 8 pence fut octroyé par un certain sir Alexander Hay pour l'entretien de ce pont. Cet argent fut investi avec soin, et lorsqu'un nouveau pont fut construit plus loin en aval en 1830, la totalité du coût, c'est-à-dire 16 000 livres, fut financée par ce legs. Aujourd'hui, bien qu'il ait été utilisé pour la construction d'autres ponts et de nombreuses routes aux environs d'Aberdeen, le montant du legs s'élève encore à plus de 100 000 livres.

INVERNESS Pour vous rendre d'Aberdeen à Inverness, vous pourriez emprunter une route qui longe la côte vers le nord passant par des villes et des villages de pêche, des châteaux et des demeures qui tous présentent un intérêt. L'une d'elles, Duff House, chef-d'œuvre du XVIIIᵉ siècle, a été dessinée par William Adam, l'un des plus grands architectes écossais. Rénové depuis peu, cet édifice contient des tableaux et du mobilier d'époque. Il est ouvert au public. Parmi d'autres châteaux qui bordent la route, il vous sera possible de visiter Cawdor Castle. C'est la résidence des ducs de Cawdor, issus des Campbell d'Argyll. Une prédiction dit que le château restera aux mains de cette famille tant qu'une servante rousse vivra à proximité du loch Awe d'Argyll. Etant donné l'abondance de chevelures rousses à l'ouest de l'Ecosse, on peut sans risque la transformer en certitude.

En vous dirigeant vers Inverness par le sud, vous suivrez une route très agréable, qui suit les méandres de la Dee. Elle vous conduira aux abords de Crathes Castle, château du XVIᵉ siècle devenu propriété du National Trust et ouvert aux visiteurs. De là, un détour au nord vous permettra d'admirer Craigievar, la plus belle maison-tour d'Ecosse. En longeant la Dee vers Braemar, vous traverserez Balmoral, propriété de la reine Elisabeth et résidence d'été de la famille royale. La reine Victoria acquit ce domaine en 1853. En 1855, un château énorme y fut érigé, susceptible d'accueillir plus de cent hôtes accompagnés de leur suite. Le château, résidence privée de la Reine, n'est pas accessible au public.

**Formation
basaltique
sur l'île
de Staffa,
au large
de Mull.**

Une lande de tourbe et de bruyère que parsèment
petits lacs et flaques d'eau cristalline caractérise
le paysage des Hébrides.

Le village de Killin, au bout du loch Tay.

54

Inverbroo
Certains territoires
chasse au cerf ne peuve
être atteints qu'en batea
et tant mieux si c'est
juge qui ra
(His Honour Charles Har

Le seul moyen pour arriver à Staffa, c'est ce modeste bateau
qui quitte chaque matin une des charmantes criques de Mull.

56

La tristesse des collines usées par le vent recouvertes d'une maigre bruyère
est ponctuée par endroits d'une façade blanche ou d'un toit écarlate.

Les ruines de Urquhart Castle
veillent sur le loch Ness et son célèbre locataire.

Tracées autrefois pour briser l'isolement protecteur des Highlanders, ces routes sinueuses
et étroites – souvent deux voitures ne peuvent s'y croiser – permettent aujourd'hui
aux visiteurs de traverser les Highlands.

60

Edimbourg, capitale administrative de l'Ecosse, est une des plus belles cités d'Europe. Ville double, partagée entre les géométries raffinées de la nouvelle ville du XVIIIᵉ siècle et le réseau tortueux de la ville médiévale, elle aurait inspiré le roman schizophrénique de R. L. Stevenson, "Dr Jekyll et Mr Hyde".

Quelques maisons blotties autour d'une chapelle, ne méritant guère le titre de village.
Le hameau de Swanston vit dans le souvenir du célèbre R.L. Stevenson qui le fréquentait
lorsqu'il était enfant.

LA LUMIÈRE DES COLLINES

COLLINES C'est à Braemar que se

déroulent chaque année les jeux plus célèbres des

Highlands, le Braemar Gathering. Si vous y assistez, il

y a de fortes chances pour que vous y rencontriez la

Reine, accompagnée d'autres membres de la famille

royale. Les Jeux des Highlands sont remarquables par

la variété des démonstrations de force qui s'y

déploient. Des géants venus du monde entier partici-

pent aux compétitions. Vêtus de kilt et de chemisette,

ils lancent d'énormes poids le plus loin ou le plus

haut possible. Au cours de l'épreuve la plus suivie,

appelée *Tossing the Caber*, le concurrent s'empare d'un

long tronc d'arbre, le dresse à la verticale et après

une course brève le lance dans les airs. Pour gagner,

il doit faire faire au tronc un tour complet avant

qu'il ne touche le sol, dans la ligne de son lancer.

Page précédente. **Une des épreuves principales des Highlands Games, la course en kilt, "Kilted Race".**

C'est très difficile. Les Jeux comportent aussi des concours de cornemuses, de danses traditionnelles, et des compétitions de tir à la corde. Le Braemar Gathering est une grosse affaire. Nous lui préférons notre version locale, l'Atholl Gathering, qui se déroule au château de Blair le dernier dimanche de mai. C'est une manifestation plus mesurée et plus intime. La troupe des Atholl Highlanders parade, et le duc remet les prix aux vainqueurs.

Peu après Balmoral, la route qui relie Aberdeen à Inverness par le sud serpente dans la montagne et croise l'une des trois grandes stations de ski écossaises : Glen Shee. Le ski en Ecosse est réservé aux sportifs hardis, le nombre de pistes est limité et la concentration de bars et de restaurants insuffisante. Ce n'est pas très surprenant si l'on tient compte de l'instabilité du climat. Ces dernières années, la neige est tombée très parcimonieusement, parfois pas du tout. Mais si vous avez de la chance, si vous tombez à point, surtout un jour de semaine, vous pourrez vous offrir de superbes descentes dignes des Alpes, la foule en moins. Notre route rejoint l'A 9 à Pitlochry.

PITLOCHRY Géographiquement, Pitlochry est située au cœur de l'Ecosse. Elle tient son rôle de centre touristique depuis la seconde moitié du XIXe siècle. C'est probablement la ville du Royaume-Uni qui reçoit le plus de visiteurs au mètre carré. En été, les touristes s'y pressent au coude à coude. Ils ne s'aventurent pas beaucoup dans la campagne, préférant rester près de leurs caravanes dans les parcs, arpenter les rues de la ville ou rouler sur les nationales. La ville ne possède qu'une boucherie et un seul épicier mais dispose d'une douzaine de magasins de pull-overs. Il y a plus de vingt-cinq hôtels, soixante *bed & breakfast* et autres chambres d'hôtes, pour une population de 2 500 habitants. On y trouve un théâtre moderne qui affiche complet durant la saison d'été, très suivie. La ville est aussi le siège de deux distilleries qui produisent du whisky pur malt. Edradour, la plus petite distillerie d'Ecosse, appartient au groupe Pernod, tandis que Blair Atholl Distillery fait partie du groupe Bell's. Toutes deux accueillent chaleureusement les visiteurs.

Un complexe hydro-électrique a été installé à Pitlochry, à la hauteur du loch Faskally, là où les eaux de la Tummel – l'un des principaux affluents de la Tay – sont retenues à leur confluent avec la Garry. A côté du barrage, on trouve une échelle à saumons, qui permet aux poissons de remonter jusqu'à leurs frayères situées dans les eaux supérieures. Leur remontée commence au printemps, quand la température de l'eau atteint 5 degrés centigrades. Nous les attendons d'ordinaire vers la fin mai, mais les eaux se réchauffent parfois avant. L'échelle consiste en une série de profonds bassins rectangulaires reliés entre eux par de larges conduites qui permettent aux saumons de remonter aisément la forte dénivellation.

Au centre du dispositif, une chambre transparente permet d'observer les poissons lorsqu'ils reprennent des forces avant de passer à un autre niveau. L'année dernière, un jour de septembre, j'y ai suivi la remontée de plus de vingt saumons. Un œil électronique dénombre les poissons qui passent par l'échelle.

La condition du saumon sauvage est fragile. De nombreuses raisons sont invoquées pour expliquer la diminution des relevés, dont certaines sont encore mal comprises, mais il est impossible de ne pas s'en préoccuper. En 1993, le compteur releva seulement 2 500 poissons. En 1994, 6 000 saumons passaient l'échelle. Cette progression est encourageante et nous continuons à pêcher le saumon, mais pour la deuxième année consécutive, en fin de saison, nous avons rendu à leur élément les femelles grosses de leurs œufs. Il a été calculé que dix pour cent des poissons qui franchissent l'échelle remontent le cours de la rivière Tummel. Les autres se dirigent vers la Garry, qui baigne l'endroit où nous vivons, et vers son principal affluent, la Tilt. Cela signifie que le gros de la troupe passe à notre porte, et lorsque la remontée commence sérieusement, je surveille le compteur avec une excitation croissante. Je le relève tous les jours.

L'A 9 est l'axe principal emprunté par les touristes qui vont à Inverness ou vers le nord et le nord-ouest. Comme c'est une route à deux voies sur la presque totalité du parcours, en été, les flots de caravanes forment des bouchons et elle n'est pas très rapide. A quelques kilomètres au nord, elle vous fera passer par les villages de Killiecrankie et Blair Atholl, où se situe Blair Castle, résidence du duc d'Atholl. Blair Castle est l'un des plus beaux châteaux d'Ecosse. Très ancien, certains le datent du XIIIe siècle. Il a été transformé et agrandi au cours des ans, notamment au siècle dernier quand le "bâtiment blanc, simple et grand» décrit par la reine Victoria devint l'imposant château crénelé qui se dresse aujourd'hui. La vaste salle de bal lambrissée qui fut la dernière touche apportée par le XIXe siècle accueille de nos jours danses, dîners, concerts et conférences. L'aile principale du château est ouverte au public de Pâques à octobre. Elle attire chaque année plus de 150 000 visiteurs. Le duc a aménagé ses appartements dans une aile réservée. Cette maison, l'une des plus belles au monde, contient des collections remarquables de mobilier, de tableaux, d'armes, de porcelaines et d'objets d'art. Les archives du château sont, elles aussi, exceptionnelles. Il semblerait que rien n'ait jamais été jeté. Copie de lettres, factures, reçus, actes de noblesse, tout a été soigneusement conservé depuis le Moyen Age. Cela signifie, par exemple, que la plupart des reçus originaux du mobilier existent encore, ce qui fait de cette collection l'une des mieux documentée, et par conséquent l'une des plus importantes du pays. La renommée du château s'est faite sur sa collection de meubles anglais et écossais du XVIIIe et des débuts du XIXe siècle. On y trouve des créations des plus célèbres artisans tels Cole, Chipchase, Chippendale et Bullock.

Le duc d'Atholl possède sa propre armée, les Atholl Highlanders. Ce droit unique a été accordé au duc régnant en 1845 par la reine Victoria. Aujourd'hui, l'armée est constituée de quatre-vingt dix hommes, dont un détachement d'artillerie qui tire des salves d'honneur lors des parades. Même si son rôle est limité aux cérémonies, l'armée en est très fière et le prend très au sérieux. Le recrutement se fait principalement parmi les hommes du domaine et du village de Blair Atholl, qui se montrent extrêmement loyaux envers leur colonel, le duc.

Les terres s'étendant autour de Blair Castle sont magnifiques. On y trouve un arboretum planté voici deux cents ans. Les trois hectares du vieux jardin, entouré de son mur, sont en cours de restauration. Il rejoindra ainsi d'autres grands jardins de la ville, qui s'ouvrent occasionnellement au public sous l'égide du Scotland's Garden Scheme. L'un d'eux, d'une surface d'un hectare, appartient au domaine voisin de Lude, plus au sud. C'est un jardin d'autant plus remarquable que sa propriétaire, Helen Gordon, l'entretient sans l'aide d'un personnel à demeure. Il est à noter que le Scotland's Garden Scheme publie un excellent guide de ces jardins que l'on visite exceptionnellement. Si le paysage de la vallée d'Atholl est doux, en poussant au nord, vers Inverness, vous découvrirez une lande nue et sauvage, parsemée de plantations de conifères. Autrefois, l'Ecosse était richement boisée. On y trouvait des forêts naturelles de feuillus : chênes, frênes, bouleaux et sorbiers. De nos jours, l'action économique du gouvernement favorise la plantation d'espèces étrangères à croissance rapide : l'épicéa, le pin, le mélèze. En résulte d'horribles forêts plantées en lignes, sans agrément. Cependant, un changement de politique intervient peu à peu, peut-être pour apaiser les groupes de pression en faveur de l'environnement et du tourisme, et la plantation de feuillus est encouragée.

INVERNESS Traversée par le fleuve Ness, la ville se situe à l'entrée du Moray Firth et à la tête du Great Glen, cette faille géologique qui s'enfonce à une centaine de kilomètres en diagonale vers le sud-ouest en direction de Fort William, et qui inclut le Loch Ness. C'est la tête de pont idéale pour s'élancer vers le nord de l'Ecosse ou vers les îles. Comme à Aberdeen ou à Dundee, très peu de l'ancienne architecture a survécu.

Ici aussi, les promoteurs ont sévi. Pourtant, un air de gaieté indéfinissable flotte à travers la ville. Peut-être est-ce dû au flot constant de visiteurs qui arrivent de tout le nord de l'Ecosse et du monde entier et font d'Inverness, selon une expression du Dr Johnson, figure majeure de la critique anglaise du XVIIIe siècle, "la capitale des Highlands". Géographiquement, sa position de passage obligé vers le nord a fait d'elle une ville forteresse depuis les temps les plus reculés. Son importance actuelle tient à sa fonction de centre administratif de la région des Highlands et pour les îles. Ses hôpitaux et ses écoles desservent un territoire immense. En train, la ligne pour Londres est directe, et de l'aéroport partent des vols à destination de Londres, Glasgow, des Orcades, des Shetlands et de Stornoway, aérodrome de Lewis, dans les Hébrides extérieures.

LES ÎLES Les îles au nord et au nord-ouest de l'Ecosse sont innombrables. L'archipel des Orcades en compte soixante-sept, dont seulement un tiers sont habitées. Là, comme dans les Shetlands, une économie en déclin a été altérée de manière dramatique par la découverte de pétrole et par l'essor de la pisciculture du saumon. Ces îles sont peu visitées par les touristes et restent des lieux désertiques. Seule l'île de Skye pour sa beauté, sa réputation et la proximité du

continent est, pendant l'été, la cible d'une invasion de plus d'un million de touristes, trop pour son réseau routier. Pour l'instant, ils débarquent du ferry aux ports de Mallaig et de Kyle of Lochalsh, mais un pont en construction reliera bientôt Kyle à la terre ferme. Tout ne peut donc qu'empirer. Par contraste, les Hébrides extérieures, tout aussi belles mais moins accessibles, sont des havres de paix. Différents services maritimes les desservent. Il est important de se souvenir que les bateaux ne sont pas fréquents, et que beaucoup ne fonctionnent pas le dimanche. L'Harris et Lewis abrite une industrie des plus intéressantes : le tweed. Cette étoffe chaude et résistante était produite par les insulaires pour leur usage personnel jusqu'au jour où, vers le milieu du XIXe siècle, le comte de Dunmore en emporta quelques échantillons à Londres pour tenter de trouver un marché. Ce qui se réalisa. Aujourd'hui, le tweed est commercialisé partout dans le monde. C'est une industrie très réglementée, régie par une loi votée par le Parlement. Pour obtenir le label "Harris Tweed", le tisserand doit travailler chez lui et utiliser exclusivement de la laine écossaise. Actuellement, quelque six cent cinquante tisserands produisent 4 millions de mètres d'étoffe par an. Certains d'entre eux utilisent encore des méthodes traditionnelles pour teindre et tisser la laine. Ils récoltent sur les rochers qui cernent les îles un lichen gris-vert, le *crotal*. Bouilli avec la

laine, celui-ci produit une éclatante couleur rouille. La bruyère est utilisée pour créer un jaune vif. Il est piquant de constater que le tweed, produit à l'origine pour l'usage exclusif d'une communauté rurale poussée par la nécessité, est devenu un must de la mode. Les fabriques les plus importantes de Harris et Lewis recourent maintenant à la teinture industrielle et fournissent les grandes maisons de couture, mais si vous rendez visite aux petits tisserands, qui teignent avec leurs propres produits, vous achèterez un tweed unique, car il n'existe pas deux teintures végétales semblables.

L'ouest de l'Ecosse et les îles occidentales, baignés par le Gulf Stream, bénéficient d'un climat plus clément que le centre et l'est du pays. On y connaît rarement le gel et la neige. Le paysage y est sauvage et désertique. Si vous consultez une carte, vous verrez que peu de routes le traversent. De grandes étendues de terre ne sont accessibles qu'à pied, à moins que de posséder un hélicoptère. C'est la région du cerf et des lacs d'altitude où vit la truite brune. Une région qui n'est pas toujours hospitalière. Beaucoup de randonneurs y viennent. En été, particulièrement au bord de la mer, ils sont victimes d'un moucheron vorace, le *midge*, un insecte minuscule et farouchement déterminé qui parvient à percer n'importe quel tissu protecteur, même le tweed.

La "revue"
des Atholl
Highlanders
est précédée
de longues
répétitions
et d'une
préparation
vestimentaire
scrupuleuse.

68

Les Lonach Highlanders, une troupe
d'Aberdeen, parade dans la revue qui inaugure
les Highland Games de Blair Atholl.

Blair Castle est un des plus beaux, des plus riches,
et certainement le plus visité des châteaux d'Ecosse.

Atholl Highland
Games : "Tug o'War",
l'épreuve du tir à la
corde.

L'épreuve du jet de
polds, "Putting the
weight" et celle du
lancer de tronc,
"Tossing the Caber".

Une des épreuves préférées du public, le concours de bagpipe, peut se pratiquer sous abri, ce qui n'est pas négligeable, la pluie étant souvent de la partie.

La revue s'achève traditionnellement par un bal. Après une journée
de défilés magistralement orchestrés, la fête est plus débridée.

DE TOURBE ET DE BRUYÈRE

L'élevage d'ovins et de

bétail est la clef de voûte de l'économie agricole des

Highlands et des îles. La viande de bœuf écossaise

est renommée. Malheureusement, l'angus d'Aber-

deen qui la fournit doit faire face à la concurrence

d'autres races comme la charolaise et la limousine.

Moins savoureux, ces bœufs grandissent plus vite. La

Highland Cattle, l'ancienne souche des Highlands

donne également une viande exquise, mais l'animal

croît lentement, dans des conditions climatiques dif-

ficiles. Le blackface et le cheviot sont les deux races

de mouton les plus présentes en Ecosse. Le blackfa-

ce est le plus robuste, mieux adapté aux hivers rigou-

reux et au paysage de collines puisqu'il se nourrit de

bruyère. Le cheviot produit davantage de laine. Per-

sonnellement, j'éprouve une certaine aversion pour le

Page précédente. **Dans les rivières écossaises, les moules d'eau douce sont devenues rares. On ne les recherche pas pour leur goût – leur chair n'est pas comestible – mais pour les perles qu'elles cachent parfois. Ce pêcheur qui nous montre son trésor les ouvre soigneusement et les remet à l'eau après avoir prélevé la perle. Cette pratique est aujourd'hui strictement réglementée.**

blackface qui témoigne d'une indépendance d'esprit indécente pour un mouton. Les blackface cernent nos quelques hectares, passant le plus clair de leur temps à essayer d'y entrer, et à y réussir. Une fois qu'ils sont à l'intérieur, ils mangent à la carte, avec une prédilection pour les plantes et les fleurs les plus chères. S'ils ont le choix entre une tulipe exotique et une tulipe normale, aucun doute, ils choisiront la première.

Au cours de ces dernières années, les subsides octroyés par la Communauté européenne encouragent l'élevage du mouton. Dans certains cas, la subvention peut atteindre 35 livres par tête et par an. Comme cette somme équivaut approximativement à la valeur d'un mouton moyen, un fermier attentif à ses gains élèvera autant de bêtes que sa terre peut en porter. Il doit respecter un quota, mais le nombre de têtes reste très élevé et franchit à certains endroits un seuil jamais atteint. Certains vont jusqu'à dire que le nombre de bêtes dépasse le raisonnable, et qu'il serait peut-être plus judicieux de subventionner une amélioration de la qualité de la terre. C'est certainement l'opinion de botanistes qui

visitent une petite région comme la nôtre, où croissent beaucoup de plantes rares. Etant donné ma sympathie limitée pour les moutons, je souscrirais à cet argument si l'angoisse suscitée par ce que peut recouvrir le terme «d'amélioration» n'était si forte. Si l'on entendait par là subventionner insecticides et engrais, mon angoisse se

Tissage artisanal du tweed sur l'île Harris

révélerait fondée. Introduire des méthodes agricoles "high-tech" sur une lande sauvage revient à la détruire. Le soay est un mouton intéressant. Il vit sur l'île de Soay, le plus lointain des îlots du groupe de Saint-Kilda dans les Hébrides exté-

rieures. C'est un petit animal quasi préhistorique, qui n'a pas évolué depuis des millénaires. A défaut d'herbe grasse, il se nourrit d'algues. Il ne ressemble pas aux autres moutons. Lorsqu'un troupeau de soay est approché par un chien de berger, il s'éparpille dans toutes les directions. Le soay ne fait pas l'objet d'un élevage commercial sur le continent.

En Ecosse, l'industrie du lainage s'est considérablement modifiée face à la concurrence étrangère. Les produits manufacturés à peu de frais en Extrême-Orient à partir de laine australienne, au coût moins élevé, occupent la première place sur le marché mondial. Malgré cela, les lainages écossais se sont imposés, en particulier sur les marchés de luxe. Une marque comme Pringle est vendue dans le monde entier. Ce qui me fournit une excellente liaison avec le cachemire. Cette matière coûteuse, tirée d'une fine laine qui se trouve sur le bas-ventre d'une chèvre indienne, est manufacturée en Ecosse, qui domine le marché. Une trouvaille qui peut être comparée à celle de la marmelade. Inventée par un Ecossais économe originaire de Dundee, qui découvrit qu'après tout la peau de l'orange avait aussi son utilité, l'industrie mondiale de la marmelade est aux mains des Ecossais.

CLEARANCES L'histoire de l'élevage du mouton dans les High lands est controversée et douloureuse. Elle débuta vers la fin du XVIIIe siècle, lorsque certains propriétaires terriens découvrirent que la présence de moutons sur leurs terres serait bien plus lucrative que celle de locataires qui payaient de maigres loyers. De larges expulsions s'ensuivirent afin de libérer les terres pour l'élevage. Au départ, bien que ces expulsions fussent conduites de manière dure, voire brutale, les fermiers étaient déportés vers les côtes où ils trouvaient du travail. Comme la pêche, la production de varech était à ce moment-là une entreprise prospère. Cette cendre salée, obtenue par combustion de différentes algues, servait dans la fabrication du verre et du savon. Mais cette industrie déclina rapidement en raison de l'apparition de nouvelles méthodes, moins coûteuses, et la paupérisation des communautés côtières se précipita. La production de varech existe toujours, mais elle s'est considérablement réduite.

En 1845-1846, un désastre s'abattit sur les Highlands, les îles d'Ecosse et l'Irlande. Bien qu'aucune de ces régions ne s'en soit jamais remise, les Irlandais furent les plus violemment et les plus gravement atteints. Aux environs de l'année 1585, sir Walter Raleigh ramena la première pomme de terre en son domaine de Cork en Irlande. Le grand avantage de cette tubercule est sa productivité, qui supplante celle de tout autre légume. A la fin du XVIIe siècle, elle était devenue l'aliment de base de l'Irlande. La grande majorité des Irlandais ne mangeaient rien d'autre. A la fin du XVIIIe siècle, la *"tattie"* était devenue aussi populaire dans les Highlands et les îles. Elle constituait l'élément principal du régime alimentaire quotidien de chaque homme, femme et enfant. En 1845-1846, dans ces contrées, la récolte fut frappée du mildiou et fit défaut. La famine apparut. L'Irlande, à cette date, comptait 8 millions d'habitants. Aujourd'hui, la population de l'île toute entière s'élève à un peu plus de 5 millions de personnes. On estime qu'entre 200 000 et 300 000 Irlandais moururent de faim ou d'une maladie consécutive à la famine. Un exode massif s'ensuivit, dont la première destination fut l'Amérique.

Dans les Hautes Terres d'Ecosse, où la population était plus disséminée qu'en Irlande, le nombre de morts fut relativement peu élevé. Le sud de l'Ecosse et l'Angleterre apportèrent leur aide aux victimes. Néanmoins, la détresse était grande, et donna lieu à une pression accrue sur les terres, un recrudescence d'expulsions et une émigration massive vers les Basses Terres, vers l'Angleterre et vers l'étranger. Quelle fut la cause du mildiou ? A l'époque, le fermier cultivait ses pommes de terre, récoltait ce dont il avait besoin, et laissait le reste à la terre. Puis il replantait pour la récolte suivante. Je suppose que les pommes de terre abandonnées ont dû pourrir et gâter le sol. La maladie fut appelée *Phytophthora infestans*. Aujourd'hui, rien de tout cela ne se produirait plus.

Aujourd'hui, les sols sont nettoyés juste avant d'être semés, nous disposons de moyens chimiques pour enrayer le développement des maladies, nous avons appris le principe de rotation des cultures et nous laissons nos parcelles en jachère pendant un an avant de les réensemencer. De plus, la mondialisation du système agricole nous permet de varier nos menus, même si je partage les vues de sir James Goldsmith (avez-vous lu son ouvrage, *le Piège* ?) et d'autres spécialistes qui nous conseillent d'apprendre à exploiter moins intensivement nos terres.

En ce moment, nous poussons la production par n'importe quel moyen, les yeux rivés sur le chiffre d'affaires. Nous utilisons sans remords des engrais chimiques dernier cri pour améliorer le rendement d'exploitations individuelles, sans aucun souci des effets secondaires pour d'autres espèces, avec l'idée que cela n'a aucune importance.

Récemment, un virus a été mis au point et cultivé à Oxford, en Angleterre. Ce virus attaquait et tuait la chenille du piéride du chou. Quelqu'un proposa de l'introduire dans un champ, en pleine campagne, mais cette proposition suscita un tel tollé

La tourbe fut longtemps le seul combustible disponible. Actuellement elle ne permet qu'aux rares producteurs et à quelques nostalgiques de se chauffer.

qu'on l'abandonna. Quels auraient pu être les effets secondaires d'une telle expérience ? Quels autres papillons ou insectes auraient été détruits ? Quelles mutations auraient pu affecter le virus ? Quelles en auraient été, à long terme, les conséquences pour nous ? La science, aujourd'hui, progresse peut-être trop vite.

Nous nous attaquons à la mer avec le même désir qui nous pousse à épuiser nos sols, et nous surexploitons les fonds de pêche en utilisant un équipement de plus en plus sophistiqué pour repérer et attraper le poisson. Au début des années 70, le hareng, autrefois le poisson le plus important pour l'économie du nord de l'Ecosse, était en voie d'extinction. Sa pêche fut strictement interdite de 1977 à 1983. Sa réapparition est lente et incertaine.

L'adhésion de la Grande-Bretagne à la Communauté économique européenne signifie que les pêcheurs écossais partagent désormaís leurs zones de pêche avec des flottilles étrangères, et bien que des quotas de prises par espèce soient appliqués, la surveillance est lâche, les quotas vite dépassés, et les réserves de poisson diminuent. Un patron écossais considérera que le poisson est à lui, et il est inutile de se demander si un patron de pêche de quelque nationalité que ce soit interrompra son travail lorsque son quota est atteint il continuera de pêcher, du moins s'il pense pouvoir échapper à la sanction.

La réglementation concernant les quotas limite

aussi la taille des prises. Pour chaque espèce, il est illégal de vendre du poisson en dessous d'une certaine taille. Par conséquent, les chalutiers se débarrassent des poissons trop petits. Morts ou mourants, ils étaient censés constituer la récolte de l'avenir. Il existe pourtant des filets spécialement conçus pour ne prendre que du poisson adulte. Lorsqu'une nouvelle législation entrera en vigueur pour interdire tout autre type de filet, alors nos futures réserves pourront être protégées de manière plus efficace.

Autrefois grande pourvoyeuse de poisson, la mer du Nord a perdu son importance en tant que territoire de pêche. Ce phénomène est dû en grande partie à une exploitation trop intensive des fonds, mais aussi à la pollution venue des côtes de Grande-Bretagne et d'ailleurs. Malgré tout, l'industrie de la pêche reste très importante. Dans les Highlands et les îles, son chiffre d'affaires atteint 110 millions de livres, et elle emploie 4 000 personnes, pêche et traitement du poisson confondus. Deux choses font contrepoids à la situation précaire du poisson sauvage dans la mer d'Ecosse (comme partout ailleurs). Premièrement, plus la quantité de poisson sauvage diminue, moins il devient intéressant de sortir et d'essayer d'en prendre. Un patron de pêche à la tête d'un bateau coûteux et d'un équipage qu'il doit payer, ne se lancera pas en mer si sa pêche risque d'être maigre. Deuxièmement, une nouvelle science,

l'aquaculture ou élevage de poisson en milieu marin, a provoqué une chute des prix. Bien qu'elle en soit encore à ses balbutiements, cette industrie rapporte aux Highlands d'Ecosse le double de la pêche traditionnelle.

L'ÉLEVAGE DE SAUMONS En 1994, l'élevage de saumons a produit en Ecosse 65 000 tonnes de poisson, pour une valeur de 200 millions de livres au marché de gros. Ce secteur a procuré de l'emploi à 2 000 personnes. Aujourd'hui, lorsque vous achetez du saumon fumé dans une grande surface, il ne s'agit pas de poisson sauvage, mais d'un saumon élevé en captivité, probablement en Norvège, le pays qui détient la plus grosse production, ou peut-être ici, en Ecosse. Cette industrie s'étend rapidement à d'autres espèces comme le turbot, le flétan, le loup, la daurade et différentes sortes de crustacés. Les saumons grandissent dans des incubateurs d'eau douce. Ensuite, les alevins ou tacons sont transférés dans des cages en mer. Ces cages sont placées dans des bras de mer protégés, sur la côte ouest de l'Ecosse ou dans les îles, souvent à l'embouchure d'une rivière. Les saumons y sont nourris de manière intensive pendant une période d'un à deux ans, au terme de laquelle ils sont tués. Les aquaculteurs rencontrent certains problèmes liés à des maladies dues à la surpopulation, et à

un parasite, le pou de mer. D'autres difficultés tiennent au marché. La surproduction a fait chuter les prix. Le saumon est devenu le poulet de la mer, on le trouve dans tous les magasins et restaurants, jusque dans les sandwiches des fast food. Les prix à la baisse impliquent que les producteurs cherchent à réduire leurs coûts. Leurs solutions varient : produire des aliments plus rentables, accélérer la production par gavage...

Robert Campbell Preston, à qui appartient Inverawe Smokeries près d'Oban, dans la région d'Argyll, se concentre sur la qualité. Il achète des saumons et des truites pour les fumer, ainsi que de l'anguille et du hareng. Ses truites, par exemple, proviennent du loch Ettive, tout proche. En un an, ses poissons atteignent un poids de 2 à 3 kilos. Durant cette période, une couche de graisse apparaît entre la chair et la peau. Je suppose que vous y avez déjà goûté, que ce soit du saumon ou de la truite : c'est tout sauf savoureux. Les poissons de Robert, eux, ne sont plus nourris un mois avant qu'on ne les tue, de manière que leur estomac soit vide et que leur graisse ait fondu. Après les avoir tués, il les saigne. Ensuite, il les fume au chêne bien sec. Leur goût est délicieux et identique à celui d'un poisson sauvage fumé. Convaincre ses producteurs de saumons de prolonger le cycle de vie des poissons, de ne pas les gaver et d'utiliser la gamme d'aliments qui produira la chair la plus savoureuse est la grande préoccupation de Robert Campbell Preston. Il pense y être arrivé. Cela signifie que sa truite et son saumon fumés sont plus chers que ceux de la plupart de ses concurrents. Heureuse coïncidence, son rêve n'est pas d'approvisionner les supermarchés. Dans son milieu naturel, le saumon retourne à la rivière où il est né pour frayer. Il est probable qu'une sorte de boussole génétique lui permet de se diriger dans la bonne direction, puis son odorat le guide vers sa propre rivière, chaque rivière possédant un caractère distinct dû à la présence dans l'eau de minéraux différents. On a également suggéré que le saumon reconnaîtrait sa rivière à l'odeur dégagée par l'urine de sa progéniture. Le long des côtes, le saumon est attaqué par le pou de mer, un parasite irritant du type de la puce, qui se rassemble en grand nombre autour des fermes. Il ne survit pas en eau fraîche et il se détache du saumon qui remonte sa rivière dans les 24 heures. Ces dernières années, de nombreuses rivières sur les côtes ouest d'Ecosse et d'Irlande ont souffert d'une réduction du nombre de saumons et de la quasi-extinction de la truite de mer. Pour ce qui est du saumon, beaucoup blâment les fermes. Premièrement parce que leurs abords sont infestés de poux de mer, et que l'on peut supposer que ceux-ci dissuadent le saumon sauvage de rentrer. Deuxièmement parce que la présence d'une ferme à l'embouchure d'une rivière altérera le goût de cette rivière par une production continue d'excré-

ments plus ou moins dispersés, mêlés aux substances chimiques ajoutées à la nourriture. Le saumon qui rentre est désorienté : il est incapable de reconnaître sa rivière d'origine. C'est l'une des causes possibles. Dans le cas de la truite de mer, il a été démontré que la concentration élevée de poux de mer provoquée par les fermes est la cause du désastre. A l'inverse du saumon sauvage, dont l'alevin se dirige droit vers la haute mer, la jeune truite passe beaucoup de temps près des côtes lorsqu'elle quitte la rivière. C'est à ce moment qu'elle est attaquée par le parasite.

Ces constatations suscitent méfiance et hostilité entre la confrérie des pêcheurs à la ligne et celle des aquaculteurs, chacun campant sur sa position. Le problème reste irrésolu à ce jour. Quoi qu'il en soit, le nombre de saumons sauvages qui nous reviennent a diminué. Les raisons invoquées pour expliquer ce phénomène forment une équation complexe. Elles incluent la pêche en mer à l'aide de filets dérivants. En général, ces filets sont illégaux mais on les autorise dans une certaine mesure sur la côte nord-est de l'Angleterre, c'est-à-dire, et je continue à ne pas comprendre pourquoi, sur la route de retour du saumon vers les rivières écossaises. Ces filets flottent un peu au-dessous de la surface de l'eau et prennent les poissons qui se dirigent vers eux. En 1991, un filet illégal de 18 kilomètres de long fut découvert dans la mer d'Irlande. Parfois, ces filets, gorgés de pois-

sons et laissés sans surveillance, coulent à pic. Lorsque leurs prises se sont décomposées, ils remontent à la surface et poursuivent leur travail. D'autres causes de la baisse du nombre de saumons pourraient être le climat, ou simplement un cycle naturel, puisque chaque espèce est soumise à des lois complexes qui régissent sa croissance et son déclin. Bref, à ce stade, personne n'avance d'explication valable.

La mytiliculture s'est récemment développée et tend à devenir une industrie extrêmement rentable. Les moules adhèrent naturellement à de longues cordes qui partent de la surface vers le fond, suspendues à des bouées ou à de petites plates-formes. Lorsqu'on leur permet de grandir de cette manière, elles restent propres et ne contiennent pas de sable, contrairement aux moules qui croissent sur les rochers à proximité des plages. En 1992, cette industrie discrète a produit des résultats encourageants qui n'atteignent cependant pas encore ceux de l'ostréiculture ou de l'élevage de coquilles Saint-Jacques.

Les principales industries de l'Ecosse recouvrent la production de pétrole et de gaz naturel, l'industrie mécanique, l'électronique, l'industrie chimique et l'imprimerie. Edimbourg et Glasgow sont devenus des places financières internationales. Toutefois, je suis certain que vous serez soulagés si je ne m'y attarde pas. Penchons-nous plutôt sur la fabrication du whisky, puisque après tout c'est lui qui fait la réputation de l'Ecosse, ou sur des activités comme la pêche, le golf, le tir et la chasse au cerf, pour ne rien dire de l'attraction la plus célèbre des Highlands, le monstre du loch Ness. Voilà qui nous intéressera beaucoup plus.

LE WHISKY Le mot whisky provient du gaélique *uisgebeatha* qui signifiait "eau de vie". Cette boisson a été élaborée en Ecosse sous différentes formes depuis fort longtemps. Un an avant la signature du premier traité de la Vieille Alliance, en 1294, l'achat de malt destiné à la distillation d'alcool fut consigné dans le budget des finances, l'Exchequer Roll. Les précurseurs du whisky peuvent être associés à un breuvage appelé *brogac* ou "le stimulant", dont on trouve de nombreuses traces au XVIᵉ siècle, surtout du côté d'Inverness. Cet alcool de malt était si populaire dans les Highlands qu'il fallait de temps en temps freiner sa production de peur que le grain ne vienne à manquer pour la fabrication du pain. Fort heureusement, au XVIIᵉ siècle, le whisky fut officiellement découvert et on commença à le distiller chez soi un peu partout dans les Highlands.

Sa production ne fut pas limitée jusqu'en 1644, année fatidique où une taxe entra en vigueur pour la première fois. Jusqu'alors, il était encore permis de distiller du whisky dans les foyers, pour peu qu'il ne fût pas destiné à un usage commercial.

Cependant, les autorités ne furent pas longues à comprendre l'intérêt d'une taxe sur toute production de whisky, et la distillation à usage privé fut interdite. Immédiatement, une ruée d'alambics clandestins envahirent le pays. Bien que traquée avec vigilance par les douaniers ou Excisemen, cette production parallèle se poursuivit jusqu'il y a peu. Il est rare aujourd'hui de se voir proposer le distillat d'un alambic clandestin, mais en deux ou trois occasions – et au vu de la nature du produit, il n'est pas surprenant que je ne me rappelle pas s'il s'est agi de deux ou de trois occasions – j'y ai goûté. J'en ai eu le souffle coupé. Les Ecossais disent que si vous placez un morceau de foie cru dans un bol rempli d'une eau-de-feu jeune comme celle-là, la viande aura disparu au bout de quelques heures. Comme le cognac, le whisky doit vieillir. Pour se lancer dans une production propre, il faut probablement être pressé de le boire.

Vers la fin du XVIIIᵉ siècle, on comprit que pour commercialiser le whisky, le mode de production et le goût devaient être homogènes. Lors des deux siècles suivants, une industrie très élaborée a vu le jour. Le scotch whisky est unique. De nombreux efforts infructueux ont été faits pour le copier, particulièrement par les Japonais. Lors d'un voyage en Extrême-Orient, mon beau-père fut très fier de découvrir un whisky du nom de «White Cock» qui, selon ses dires, était répugnant. (En anglais, le nom de ce whisky est inhabituel en ce qu'il

décrit une partie bien spécifique de l'anatomie masculine. Cette idée amusait beaucoup mon beau-père.) L'Irlande et les Etats-Unis produisent également du whisky qui, bien qu'excellent, n'égalera jamais le scotch.

Par-delà ses attraits pour sa saveur, le scotch est également réputé pour sa propriété de fluidifier le sang, et il est souvent prescrit par les médecins – pas seulement en Ecosse – aux personnes âgées qui souffrent de troubles de la circulation. Aucune marque n'est particulièrement recommandée, et le patient peut continuer à boire sa cuvée favorite ou tenter de nouvelles expériences. C'est évidemment l'une des meilleures raisons de boire du whisky.

Il existe fondamentalement deux types de whisky : le *malt*, tiré de l'orge malté, et le *blended*, obtenu à partir d'un mélange de différents malts avec un whisky plus économique à base de céréales non maltées ; ce dernier n'est d'ailleurs jamais mis en bouteille seul. Les procédés d'élaboration du *single malt* et du *blended* sont jalousement tenus secrets.

Le whisky pur malt souffre d'un coût élevé de production et est donc onéreux à l'achat. Il vieillit dans des tonneaux de chêne pendant une durée moyenne de huit à quinze ans. Plus il bonifie, plus il devient cher. Distillé, son titre en alcool avoisine 70 %. Pendant son temps de repos, sa saveur mûrit et son taux d'alcool connaît une baisse due à l'évaporation. Une fois mis en bouteille, il ne s'altère pas mais ne se bonifie pas non plus, au contraire du vin.

Le *single malt* est principalement utilisé comme complément au whisky de grain pour créer ce *blended whisky* familier et bon marché que l'on trouve sur les étagères des magasins. Pourtant, plus de cent sortes de whisky pur malt sont embouteillées pour être bues telles quelles. La plupart des grandes marques sont installées sur les rives de la Spey. D'autres sont implantées plus au nord ou dans les îles. Très peu sont localisées au sud. Le goût diffère nettement *d'un single* malt à l'autre. Il y a plusieurs raisons à cela. Tout d'abord, l'eau utilisée a traversé des tourbes dont la teneur en minéraux n'est pas la même. Ensuite, le malt se prépare de différentes manières.

Les whiskies pur malt au goût le plus particulier proviennent de l'île d'Islay. Trois grandes marques y ont leur siège : Laphroiag, Bruichladdich et Bowmore. Ces malts ont un parfum prononcé de tourbe, presque une saveur d'iodine. C'est pourquoi les malts d'Islay sont fréquemment utilisés pour en couper d'autres, au caractère plus léger.

Le plus ancien des malts du Speyside, le Glenlivet de chez Smith, a été le premier à être produit sous licence légale, en 1823. Il est délicieux, tout comme ses compagnons de la vallée de la Spey. Mon favori est le Macallan 10 ans d'âge, 70 proof ou 40 degrés. C'est un whisky sombre, sirupeux, très doux et rond au palais. Ce whisky a un frère aîné plus puissant. A 12 ans, il titre 105 proof ou 60 degrés. Beaucoup de gens vous conseilleront de boire le whisky pur malt sans eau. Personnellement, je trouve que c'est un non-sens car il est beaucoup trop fort, mais je n'aime pas y ajouter de la glace, et en aucun cas il ne devrait être bu avec de l'eau gazeuse. J'apprécie beaucoup le Perrier, mais il n'a pas le moindre rapport avec le Macallan. Mon dosage favori est un tiers de whisky pour deux tiers d'eau plate, et la meilleure eau reste pour cela l'eau de source d'Ecosse. Je pense qu'il est extrêmement dangereux de boire du Macallan 12 ans d'âge sans eau, ou alors à très petites gorgées.

La production de whisky pur malt occupe une place de premier plan dans l'économie écossaise. Sa publicité abonde dans les magazines de luxe, et le produit est disponible dans les magasins hors taxe du monde entier. Pourtant, la vente de *single malt* ne représente que 2 % du total des ventes de scotch, les *blended* constituant le solde. En Ecosse, la marque la plus populaire est "The Famous Grouse", produit par Matthew Gloag & Son de Perth, une entreprise qui appartient désormais au Highland Distilleries Group. C'est le whisky que nous buvons d'ordinaire à la maison, où il est surnommé le Matthew, en hommage à son inventeur. Souple et délicieux, il peut être bu pur, avec de l'eau plate ou gazeuse, avec ou sans glace, sans offenser aucun puriste. Nous ne sommes pas les seuls à en boire. Plus de 25 millions en sont bues chaque année dans le monde entier.

L'un des *blended* les plus célèbre, J & B, est un whisky très pâle, d'une couleur proche de la bière blonde. On raconte – et je n'ai aucune raison de penser que c'est faux – qu'une grande partie de son succès est due à sa pâleur. Quand Monsieur revient d'une dure journée à Wall Street, Monsieur se verse un whisky bien tassé. Madame n'a aucun moyen d'évaluer d'après la couleur si son whisky est fort. De même pour le suivant. Leur relation harmonieuse n'est troublée par aucune remarque désagréable.

Beaucoup de whiskies pur malt sont pâles comme le Glenfarclas ou le Highland Park. Il se peut qu'une partie de leurs amateurs les adopte pour leur couleur. Mais le Macallan est très foncé. Peut-être qu'on ne le boit pas à Wall Street, ou peut-être que Monsieur prétend que c'est de la Guiness.

La production de whisky est la principale industrie à produit unique d'Ecosse. Chaque année, on exporte du scotch pour une valeur de 2 000 millions de livres. La vente au détail en Grande-Bretagne réalise sensiblement le même chiffre d'affaires, et 67 % du prix de vente au détail revient à l'Etat par l'intermédiaire de la taxation directe et de la TVA. Les distilleries emploient un personnel réduit à la fabrication – elles sont entièrement automatisées. C'est le marketing qui génère des emplois dans ce secteur.

LE MONSTRE

Pas un touriste qui se dirige vers le nord ne manquera de passer par le loch Ness, l'œil aux aguets. D'après les annales, le premier à avoir vu le monstre (et à l'avoir effarouché) serait saint Colomba, au VIe siècle. Ensuite, il disparut jusqu'en 1930, date à laquelle de nombreuses personnes déclarent l'avoir aperçu. Le loch est immense. Il fait partie du fossé tectonique creusé par la période glaciaire qui divise le nord de l'Ecosse d'une côte à l'autre. D'une longueur de 37 kilomètres, pour une largeur moyenne de 1,5 kilomètre, le loch Ness peut atteindre plus de 300 mètres de profondeur par endroit. Il contient plus d'eau que tous les lacs et réservoirs d'Angleterre réunis. Ses eaux sont très tourbeuses, et il est impossible de voir sous l'eau à une grande distance.

Mon beau-père a vu le monstre.

Dans les années soixante, mon beau-père, feu le capitaine de frégate sir Peter Ogilvy-Wedderburn, de la Royal Navy, partait chaque été rejoindre son ami le capitaine de frégate Blondie Hasler, fondateur du Loch Ness Investigation Bureau. Ensemble, ces deux distingués officiers de marine patrouillaient sur le loch en compagnie d'autres aventuriers. Ce jour-là, ils étaient sur un petit dériveur lorsque le Monstre fit surface, à 30 mètres environ. Ils virent les arceaux du grand corps serpentin crever la surface de l'eau, mais n'aperçurent pas le cou démesuré et la tête étroite. C'était avant l'heure de l'apéritif. Bien que terriblement surpris, ils réussirent à photographier le Monstre avant qu'il ne plonge à nouveau. Malheureusement, la photo, une fois développée, ne révéla rien car elle avait été prise de trop loin.

Nous passâmes notre lune de miel au nord-ouest de l'Ecosse. Grâce à un ami de mon beau-père, nous fûmes admis sur le site des dernières recherches. C'était une maison sur les bords du loch. Une femme plantureuse, réputée pour ses dons de double vue – le septième enfant d'un septième enfant – tenait un pendule au-dessus d'une carte à grande échelle du loch, quadrillée et repérée de chiffres et de lettres. "Allons, Nessie!" disait-elle. Un petit aréopage se massait autour de sa personne, dont une équipe de scientifiques du Massachusets Institute of Technology. Deux bateaux chargés de sondeurs à ultrasons se trouvaient sur le lac, avec à leur bord d'autres membres du MIT. "Ah!" cria soudain la femme. "Je vois une famille de petits, près du rivage en Q 9 !" Très excités, les Américains s'emparèrent de leurs torches et communiquèrent cette information en morse à leurs collègues. "Et un adulte en P 9. Il plonge à l'instant !", hurla la sorcière. Nous regardions, ébahis. Le plus bizarre, c'est que les sondeurs firent d'étranges analyses, et j'ai entendu parler de contacts sonars que l'on avait des difficultés à expliquer.

Pourtant, une question se pose. Par déférence envers mon beau-père et ses amis, je rédigerai ceci en petits caractères. Si le Monstre existe, de quoi se nourrit-il ? Le loch est sombre, profond, froid et inhospitalier. La vie s'y développe parcimonieusement. Il y a peu de végétation. De récentes études ont montré que la quantité de poissons en ses eaux atteignait à peine une demi-livre par hectare. Ce n'est pas une nouvelle trépidante pour les pêcheurs – ne réservez pas un séjour de pêche sur le loch Ness – mais c'est encore moins encourageant pour un prédateur de grande taille. Imaginons que 250 grammes par hectare se reproduisent à un taux de 10 % l'an. La récolte serait de 25 grammes. J'ai bien peur que cela nous donne un monstre très petit et très rapide. J'ai bien peur que cela ressemble à la fin d'un mythe. Mais j'espère tout de même voir le monstre de mes yeux dans pas trop longtemps.

84

Bill Brailsford,
"Head Stalker" de Garrogie,
Inverness-Shire,
revêt le tweed aux couleurs
de son domaine.

Les grandioses
paysages d'Ecosse ont
toujours inspiré les
musiciens. On voit ici
le célèbre flûtiste
William Bennett
et la clarinettiste
Thea King. Cette der-
nière a une affection
particulière pour les
bœufs
auxquels elle offre
une sérénade.

Bien après les expulsions
dramatiques du XVIIe siècle,
les "clearances",
les droits des "crofters"
– petits métayers ou bergers –
furent défendus
par le Parlement écossais.
C'est aujourd'hui
la politique agricole européenne
qui les soutient.

Plocrapool, île Harris :
Katie Campbell,
fabricante de tweed,
présente un échantillon
de sa production.
Le tweed tel qu'il est
produit artisanalement
est un produit
à chaque fois unique.
Les teintures végétales
extraites de lichens
et d'algues ne donnent
jamais deux fois la même
nuance aux tissus.

Quoiqu'il représente (avec toute l'industrie qu'il alimente)
un secteur important de l'économie écossaise, le mouton
est mal. aimé. En souvenir des tragiques "clearances" du
XVIIIᵉ siècle, lorsque des milliers de paysans
furent chassés de leurs terres pour leur faire place.

Au marché de Perth, les transactions
de moutons et de bœufs se concluent inévitablement au pub.

**Macduff, village de pêcheurs
de l'Aberdeenshire.**

94

Edradour, la plus
petite distillerie
d'Ecosse, produit
un "single malt" des
plus respectables.

Andrew St. John,
de la Glenalmond Tweed
Company (Perthshire)
exporte, essentiellement
vers le Japon, des tweeds
(vêtements et sacs)
teints selon les méthodes
artisanales.

CHASSE

ET PÊCHE
Le tourisme est devenu

vital. On estime qu'il injecte 500 millions de livres

chaque année dans l'économie écossaise. C'est la

plus grande industrie des Highlands et des îles. Elle

représente 20 % de l'emploi et 20 % du produit natio-

nal brut de la région. Pourtant, et cela paraît étrange,

on ne remarque pas cet énorme afflux de visiteurs.

Les grands axes sont encombrés pendant l'été, Edim-

bourg est envahi durant la période du festival, et il

arrive que l'on croise quelques promeneurs, mais la

campagne, cette lande sauvage, est si vaste qu'elle

absorbe le mouvement. Les revenus les plus lucratifs

sont produits par le sport. L'Ecosse est un pays

magnifique pour la pêche, le tir et la chasse au cerf à

l'approche. Sans oublier le golf, bien sûr, dont elle est

la patrie. Ces sports sont parfaits lorsqu'on s'y adonne

Page précédente. **Inverbroom.**
**Par respect pour la tradition
et pour le cerf abattu, les chasseurs
descendent à pied la colline en traînant
le fruit de leur chasse.**

de manière traditionnelle, sans forcer ni être vorace. Une attitude parfois difficile, surtout dans le cas du golf.

LA CHASSE AU CERF

Les cerfs sont si nombreux dans les Highlands que leur population doit être réduite. Avec 300 000 têtes, elle atteint le double de ce que la terre peut porter. Etant donné que les Highlands ont perdu depuis bien longtemps leurs boisements naturels, le cerf commun ou cerf rouge, animal de forêt à l'origine, s'est adapté à la lande.

En Grande-Bretagne, le gibier, autrefois très apprécié, ne figure pratiquement plus sur la liste de provisions de la ménagère. Avec un effort de sensibilisation considérable, Safeway, une chaîne de supermarchés, fait tout son possible pour modifier cet état de choses, mais pour l'instant le gibier est extrêmement bon marché et environ 80 % de la viande est exporté vers l'Allemagne.

Dans les domaines privés connus comme forêts à cervidés, la chasse au cerf en tant que sport se déroule à la fin de l'été et à l'automne. En hiver, les biches en surnombre sont éliminées par les gardes-chasse, les stalkers. Le nombre d'animaux qui doit être soustrait à chaque domaine est déterminé par la Red Deer Commission. En ce qui concerne les cerfs, ces chiffres sont généralement atteints puisque des chasseurs payent pour les tirer. Mais dans le cas des biches, la demande créée par le sport est moins grande, le prix de la venaison trop bas, et le nombre d'animaux à éliminer n'est pas respecté, d'où la surpopulation. Dans les forêts d'Etat de la Forestry Commission, les cervidés sont tués sans discrimination, à n'importe quel moment de l'année, saison de la chasse ou pas, car on les considère comme des animaux nuisibles. Ils endommagent les arbres.

La chasse au cerf à l'approche prit son essor au XIXe siècle. Aujourd'hui, elle est très courue – et rentable, comme je vous l'ai exposé dans l'introduction de ce livre. C'est un sport difficile et passionnant. Il n'y a pas plus prudent que les cerfs. Leur odorat est très développé. Par conséquent, vous devez tenir compte de la direction du vent pendant votre approche. Ce qui, en soi, pose un nouveau problème car le vent tourbillonne et saute dans les plis et replis des collines. Le cervidé possède également une vue perçante, et il vous faudra vous dissimuler, ou, si c'est impossible, vous déplacer avec précaution. Vous tentez une approche à moins de cent mètres. Armé d'une carabine moderne, qui assure un tir tendu sur cette distance au moins, vous ne devriez pas rater, ou pis, blesser l'animal. Vous ne serez pas seul dans les collines. Le *stalker* vous accompagnera. C'est lui qui sera responsable de l'approche, lui que vous suivrez, qui choisira l'animal que vous pourrez abattre, et qui vous mènera à votre position de tir.

Si vous chassez le cerf dans une forêt correctement gérée, il vous sera permis d'abattre une très vieille bête mais pas de tirer un jeune coiffé de bois. Le domaine cherche à améliorer sa population. Il y a trop de cerfs et vous êtes là pour réduire l'excédent. Vous chercherez un vieil animal aux cornes dépourvues de pointes (un cerf paumé), ou à la tête nue (un *hummel*), ou avec une seule corne, ou doté d'une tête qui échappe aux normes. Vous ne tirerez pas du tout avant d'avoir d'abord visé une cible et prouvé que vous êtes précis. Et vous reviendrez parfois d'une journée sur les collines bredouille, transi, fatigué, trempé comme une soupe, les pieds couverts d'ampoules, sans avoir rencontré un cerf qu'il vous soit permis d'abattre, le fusil n'ayant jamais quitté son étui. Mais vous vous serez allongé dans la bruyère, vous aurez observé les cerfs, et vous apprécierez d'autant plus votre bain chaud et votre whisky. Et le jour suivant, vous rentrerez, votre animal abattu sans bavure, tout aussi transi, fatigué et trempé, mais plein d'exaltation pour cette journée exceptionnelle, et à nouveau vous apprécierez d'autant plus votre bain chaud et votre whisky.

LA CHASSE À LA GROUSE

Depuis le XIXe siècle, les sportifs viennent au nord pour chasser la grouse. Sa chair est délicieuse, mais elle est difficile à abattre, parce qu'elle vole extrêmement vite et bouge avec le vent. Elle se nourrit de baies et de bruyère. Contrairement au faisan, on ne peut l'élever en captivité. La déforestation a amélioré son habitat, et à certains endroits, on en trouve à foison. Cependant, ces dernières années, elle a connu un tel déclin au nord de l'Écosse, au même titre d'ailleurs que le grand tétras, le tétras-lyre et la perdrix grise, que la situation s'est révélée préoccupante.

Étant donné son importance pour l'économie, des études scientifiques approfondies ont été réalisées afin d'établir les raisons de ce déclin. Aucune conclusion définitive n'a été retenue. Les causes en sont probablement multiples. Certaines régions n'en sont pas affectées, et leur population de grouse reste abondante. Tout comme le cerf, elles doivent être éliminées, et il est donc toujours possible de trouver d'excellentes chasses. La saison commence le 12 août, (The Glorious Twelfth), et se termine le 10 décembre, bien que l'on chasse rarement la grouse après octobre.

Trois techniques distinctes sont utilisées pour pour ce sport.

La première est la chasse en ligne. Une rangée de chasseurs, entrecoupée d'hommes ou de femmes accompagnés, si possible, de retrievers, en général des labradors, fait lever les grouses. Elles s'envolent. Vous tirez.

Deuxième possibilité, les chiens, pointers ou setters, entrent en jeu. Les chasseurs s'alignent face au vent et avancent. Les chiens errent de long en large, devant les fusils. Lorsqu'ils sentent une grouse, ils marquent l'arrêt, à plat ventre sur le sol. Les chasseurs se rapprochent du chien. Celui-

ci avance petit à petit. La tension grandit parce qu'il est impossible de voir les oiseaux, tapis dans la bruyère et parfaitement camouflés. Une explosion soudaine, et ils s'envolent. Vous tirez.

J'ai eu un labrador au pelage doré qui s'appelait Spot. Il portait une marque noire au milieu du front. C'était la marque du diable. Spot n'était pas obéissant. A certains moments, il ne se contentait pas de mordre les autres, il s'attaquait aussi à moi. Maurice Robson me dit un jour : "Il faut amener Spot à la grouse." Je lui répondis que je préférais m'abstenir. "J'insiste, dit Maurice, il faut lui donner sa chance ou il n'apprendra jamais." Ce jour-là, nous étions entourés de quelques chiens parmi les mieux entraînés du Royaume-Uni. Le groupe comprenait la médaille d'argent du Championnat National de cette année-là. Les setters sont utilisés contre le vent. Sous le vent, ils perdent leur efficacité. Nous avancions en ligne, sous le vent, les setters au pied de leurs maîtres, Spot en laisse à côté de moi, qui bondissait dans tous les sens et me déséquilibrait parfois. Une grande volée de grouses décolla. Nous tirâmes. Quelques oiseaux tombèrent. Le reste du groupe s'envola par-dessus la colline, devant nous. "Lâche Spot!" cria Maurice. Le cœur dans les talons, j'obéis. Il démarra sur les chapeaux de roue dans la direction prise par la volée, franchit la colline et disparut de l'autre côté. Voilà, ai-je pensé, il va balayer tout le terrain vers lequel nous nous dirigeons, et il ne restera plus de gibier quand nous arriverons là-bas. A ma grande surprise, Spot réapparut au même moment au sommet de la colline, une grouse dans la gueule. "Je te l'avais dit", fit Maurice.

J'appelai Spot : "Bon chien, au pied !" Les maîtres des setters me consacraient toute leur attention. Spot était immobile à son poste d'observation, sa grouse entre les crocs. Je continuai d'appeler. Un murmure amusé grandit dans les rangs des dresseurs. Désespéré, je me retirai derrière un monceau de tourbe. "Bonjour, hurlai-je d'un ton chaleureux et avenant, ça nous fait vraiment plaisir de vous voir. Entrez. Que puis-je vous offrir ?" Au sommet de la colline, Spot lâcha la grouse, et dévala la pente pour voir qui c'était. Cette démonstration humiliante fut plutôt bien reçue par les maîtres des setters. Depuis le temps, ils avaient vu quelques méthodes originales, me donnèrent-ils à croire, mais rien qui ressemblât à ça. C'était l'une des deux méthodes qui me permettaient de récupérer Spot. L'autre consistait à dire, ou à crier : "Promenade, mon garçon" ; sur quoi il parcourait parfois une longue distance pour revenir participer à cette promenade. J'ai été très triste quand il s'est fait renverser, mais à part moi personne ne l'a vraiment regretté.

La troisième manière de chasser la grouse est grandiose. C'est indubitablement la forme de chasse la plus excitante qui soit, un sport de roi. Son coût est en proportion. La grouse vit dans la bruyère qui croît sur les hautes terres. Les chasseurs – au nombre de huit, en général – sont placés en ligne derrière des affûts. Ceux-ci sont bas, faits de pierre ou de bois, parfois creusés dans le sol. Ils dissimulent les fusils qui se fondent alors dans la ligne d'horizon. Habituellement, on plante deux longs bâtons de chaque côté, parallèlement aux bords extérieurs des affûts avoisinants. Ils servent de repère visuel lorsque vous suivez un oiseau avec votre arme, pour ne pas tirer si votre voisin entre dans votre ligne de mire. De tels accidents arrivent. Gardez toujours votre fusil pointé au-dessus des bâtons. Arrivant d'un point de départ éloigné, une longue ligne de rabatteurs, trente, quarante, ou plus, marche à la rencontre des chasseurs. Des ailiers et des porteurs de banderoles sont déployés sur chaque côté de la ligne. Les grouses sont canalisées vers les chasseurs. L'attente peut durer une heure, parfois plus, pour mener à bien une battue. Le chasseur doit rester attentif. Quand les grouses décollent, elles volent bas ou en hauteur, seules ou en groupe. Leur vitesse, stupéfiante, peut atteindre 150 kilomètres à l'heure, avec le vent. Dans une même journée, on peut mener cinq ou six battues. Un jour faste signifie 200 grouses ou plus – le tableau peut monter jusqu'à 500 grouses. La chasse à la grouse en battue est onéreuse. La valeur commerciale d'un oiseau est actuellement de l'ordre de 40 livres. Une journée à 500 grouses reviendra donc à 2 500 livres pour chacun des huit fusils.

La chasse au faisan est plus raisonnable, mais le chasseur paiera tout de même quelque 18 livres par gibier abattu. Je ne saurais donc trop vous conseiller d'entretenir des relations avec des propriétaires de landes à grouses et de terrains de chasse au faisan, surtout s'ils comprennent qu'ils peuvent vous appeler à la dernière minute quand quelqu'un les a laissé tomber. Il y a de merveilleuses chasses au faisan en Ecosse, où l'on peut abattre quantité d'oiseaux, de 200 à 300 par jour. D'autres sont plus petites, on y tire moins de gibier – disons 10 faisans par journée – accompagnés de quelques canards, bécasses, bécassines et pigeons, et peut-être de quelques coqs de bruyère, ou lièvres et lapins – mais ces journées-là vous laissent un souvenir magique, parce que vous avez été par monts et par vaux chasser pour la cuisine. Elles peuvent vous laisser une trace plus vivace que les jours heureux où le faisan est tombé en grand nombre, en particulier quand elles se déroulent dans la bonne humeur, en compagnie d'amis, de bonne chère et de bons crus.

Maurice Robson et Willie Matheson observent
une harde pour en organiser l'approche.

La famille Smyth-Osbourne à la chasse au cerf dans le domaine d'Ardverikie

Allongés dans la bruyère, chasseur, "stalker" et chiens font une pause
pendant la chasse à la grouse.

La fauconnerie est sans doute la manière la plus ancienne de chasser le coq de bruyère. Tony Walker la pratique encore sur les terres de sir William Gordon Cumming.

Ardverikie. Après la mort du cerf, il faut le dépouiller rapidement.

LA PÊCHE
AU SAUMON

La pêche au saumon est d'une importance cruciale pour l'économie écossaise. On évalue son apport à 50 millions de livres par an. Ce chiffre comprend les séjours à l'hôtel comme le coût de location des parcours. Différentes techniques sont utilisées pour pêcher le saumon à la ligne en rivière. Cependant, personne ne comprend pourquoi il mord. Le saumon ne se nourrit pas durant son séjour en rivière ; il a accumulé assez de réserves pour remonter jusqu'à sa frayère sans devoir manger, même si cela lui prend plusieurs mois.

La pêche à la cuiller est la manière la moins captivante de prendre un saumon. Vous lancez votre leurre en travers de la rivière. Vous laisser le courant travailler la cuiller. Au bout d'une heure ou deux, un débutant muni d'une canne et d'un moulinet efficaces pêchera aussi bien qu'un vétéran. Il suffit d'espérer que le saumon avale le leurre. Je trouve ça très ennuyeux, sauf quand le saumon mord, parce qu'il se révèle souvent très combatif, mais il arrive aussi qu'il ne demande qu'à être ramené. Malheureusement, cette méthode est efficace.

En revanche, la pêche à la mouche requiert technique et doigté. En Grande-Bretagne, elle se pratique avec une longue canne, difficile à manier au départ. L'idéal est de déposer délicatement la mouche sur l'eau, à l'endroit choisi. Parfois, mais pas toujours, on convoite un saumon que l'on a entrevu. Il peut se trouver à trente mètres comme à cinq. D'ordinaire, on laisse la mouche dériver, portée par le courant, de manière qu'elle décrive un arc de cercle. Lorsqu'elle est passée devant vous, et qu'elle se trouve en aval de votre position, vous pouvez ramener la ligne d'un mouvement lent de la main. Il arrive que le saumon accompagne la mouche dans son mouvement et ne manifeste aucun intérêt avant que vous ne tendiez la ligne. Quand le saumon mord, ne relevez pas la canne trop rapidement, ne le ferrez pas. Mieux vaut laisser le poisson prendre un peu de ligne avant de lever la canne pour enfoncer l'hameçon (à la différence de la pêche à la truite où il faut ferrer dès qu'on sent la touche, sinon le poisson s'échappe). Dans certains cas, le saumon mord violemment, il s'empare de la mouche, et s'enfuit. Le plus souvent, sa touche est légère, et il nage à petite allure, dévidant quelques mètres de ligne, la mouche dans la gueule. Pêcher le saumon à la mouche est un plaisir sans précédent, même dans de mauvaises conditions, quand les chances de prise sont très réduites. Par exemple, lors d'une journée chaude et ensoleillée, sur une rivière aux eaux basses et croupissantes alors que la première condition d'une bonne pêche est une rivière à eau fraîche et au débit important, du moins c'est mon opinion.

Il y a une vingtaine d'années, nous descendîmes à la rivière Tay un soir d'octobre, tous deux pêcheurs inexpérimentés, n'ayant jamais tué un saumon. J'avais une canne à mouche et une paire de bottes courtes, ce qui signifie que je ne pouvais pas m'avancer très loin dans l'eau. Un peu au-dessus de nous, un homme pêchait à la cuiller à partir de la rive. Il pouvait lancer à cinquante mètres ce qui lui permettait d'atteindre un bassin éloigné où se tenaient de gros saumons d'humeur à mordre. En aval, nous vîmes un pêcheur équipé d'une canne à mouche, chaussé de bottes qui lui remontaient jusqu'à la poitrine, et donc capable de se déplacer dans l'eau jusque-là. Cela lui prit du temps. La rivière est large, puissante et dangereuse. Il faut être prudent. Au bout d'une heure, l'homme à la cuiller avait pris trois saumons, qui avoisinaient tous 40 livres. Le même score que l'homme à la mouche. J'étais incapable d'atteindre le poisson, aussi je les observai. L'homme à la mouche était déterminé à supplanter l'homme à la cuiller. Il nous dit que quand il parvenait à atteindre le poisson et à lancer sa mouche, chaque lancer lui rapportait une prise. La nuit tombait, mais il repartit dans l'eau. A son premier lancer, un poisson mordit, et il remonta prudemment, luttant avec le poisson, utilisant sa canne et le poids du saumon pour conserver l'équilibre. Nous le regardâmes avec stupéfaction ramener le plus gros saumon de la pêche, un monstre de 20 kilos.

Je me souviens d'un parcours renommé sur la

Spey. C'était en août, il avait fait très chaud, il n'avait pas plu depuis longtemps et l'eau était basse. Je me rendis à la rivière très tôt, vers 5 heures du matin. Peut-être que tout l'art de la pêche au saumon est de déterminer avec certitude si on a une chance ou pas. J'étais certain que je ne prendrais rien. Une nappe de brouillard épaisse de 30 centimètres flottait sur la rivière. Ma ligne s'envola puis fut happée par le coton. J'avais mon walkman sur les oreilles, j'écoutais Mozart, je m'amusais à lancer, quand soudain il y eut une brève secousse puis plus rien. Les certitudes sont parfois éphémères.

Cependant, il vous arrive de sentir que la rivière est bonne. Vos nerfs fourmillent de plaisir anticipé. J'eus droit à une telle journée ici-même, sur notre rivière, en septembre de l'an dernier. Ce jour-là, je pris six saumons à la mouche : pesant tous entre 3 et 8 kilos. Je quittai la rivière tôt parce que le moulinet de la canne s'était bloqué sur le dernier poisson (et le plus gros) que j'avais ramené à la main. Je repris le chemin de la maison pour changer de moulinet, mais le coffre de la voiture débordait de poissons, quelqu'un ouvrit une bouteille, et ma dernière heure de pêche fut sacrifiée. Le saumon se pêche également au ver. A l'aide d'un bouquet de vers serait plus précis. Cette méthode est largement décriée par les puristes. Pourtant, il me semble que c'est la plus excitante. Les premières émotions naissent de la chasse aux

vers proprement dite. On peut les déterrer, bien sûr, mais c'est assez ennuyeux, sauf si vous aimez jardiner. Déterrage mis à part, voici deux techniques efficaces pour attraper les vers.

La première consiste à plonger profondément une fourche dans la pelouse, puis à la remuer d'avant en arrière. Les vers doivent penser qu'il y a un

tremblement de terre parce qu'ils remontent en surface. Vous raflez les grands et vous laisser partir les petits.

La seconde méthode est encore plus amusante. Tard la nuit, quand les oiseaux sont couchés, les vers de terre remontent à la surface, et s'ébattent dans le gazon humide. Ils laissent une petite partie de leur queue enfoncée dans la terre. Ça leur donne un point d'appui supplémentaire en cas de fuite précipitée. A la moindre vibration, ils s'évanouissent, engloutis par la pelouse à la vitesse du mamba noir. Il est possible de les repérer à l'aide d'une lampe de poche. Vous vous approchez, à quatre pattes, avec mille précautions. Dès qu'ils sont à portée de main, vous vous en emparez. Un faux mouvement et ils disparaîtront plus vite que leur ombre. Meilleur a été le dîner, plus le vin a été capiteux, plus la chasse sera difficile. Elle requiert une concentration intense.

Une fois les vers capturés, vous les placez dans une boîte contenant de l'herbe humide. Lorsque vous êtes à la rivière, vous prenez un gros hameçon, et vous enfilez quelques vers par-dessus, deux, trois, ou plus. Vous plombez à environ 30 centimètres de l'hameçon. Ensuite, vous lancez cet appât en amont pour qu'il dérive à proximité de la tenue du poisson.

Si vous avez de la chance, et que la journée est bonne, le saumon s'approchera de l'appât, et l'examinera. Il le pincera, le mordillera, l'abandonnera et... y reviendra. A ce stade, ne pas bouger. Au contraire, dès le moment où le saumon aura manifesté son intérêt, il vous faudra sortir de la ligne. Ce n'est que quand le saumon aura entamé le bouquet de vers et s'en ira, que l'on pourra relever la canne, fermement, sans hâte, pour le ferrer. Parfois, le saumon ne remarque rien ou ne s'attarde pas assez. Il vous arrivera plus d'une fois d'accrocher le fond, de penser qu'il s'agit d'une prise, et d'attendre un temps infini que le fond veuille bien se décider. C'est une pêche délicate qui fait monter l'adrénaline, le cœur bat la chamade et la plupart du temps, vous ne prenez pas de poisson. Parfois la pêche est abondante.

Certains pêchent le saumon à la crevette, grise ou rose. C'est une pêche mal perçue, et interdite sur quelques rivières. Elle peut être meurtrière. Le saumon semble prendre peur à la vue de la crevette. Il l'attaque sauvagement. Bien sûr, c'est une façon excitante de tuer le poisson, seulement le plaisir ne réside pas uniquement dans la capture du saumon, mais plutôt dans l'art aimable d'une belle pêche à la ligne.

Le fait que le saumon s'attaque à un bouquet de vers ou à une crevette reste inexpliqué car il ne se nourrit pas en rivière.

TRUITE DE MER ET TRUITE BRUNE

La truite de mer est une truite brune qui, comme le saumon, a émigré vers la mer et remonte en rivière pour le frai. Sa chair est délicieuse et sa pêche passionnante. Elle possède une vue perçante, et il est possible de la pêcher de nuit, même s'il fait aussi noir que dans un four. Tout comme le saumon, elle ne se nourrit pas durant sa remontée.

La truite brune indigène, elle, se nourrit dans les lochs et les rivières qui l'abritent. La mouche que vous lui offrez doit présenter une similitude avec ce qu'elle mange, ou rêve de manger. Offrez-lui un ver comme appât, et elle mordra immédiatement, mais ce serait tricher. L'art de pêcher la truite à la mouche inspire les écrivains depuis le Moyen Age. Des centaines de livres ont été publiés à ce sujet. Aujourd'hui, cet art est en passe de devenir une science dominée par les Américains. Fort heureusement, leur politique d'utilisation d'hameçons dénués de barbes et de retour des prises à la rivière se répand en Europe. La plupart des pêcheurs trouvent leur plaisir dans le fait de capturer le poisson et non de le tuer. C'est tant mieux, car il n'y a pas assez de poisson pour tous les pêcheurs. Avec sa moisson munificente en venaison, lièvres, lapins, grouses, faisans, saumons, truites de mer, truites brunes, accompagnée de la pêche et des fruits de mer, avec la qualité de ses viandes de bœuf et d'agneau, l'Ecosse devrait s'enorgueillir des meilleurs restaurants de Grande-Bretagne. Il s'en trouve, mais j'ai peur qu'ils soient bien rares. Comme dans la plupart des pays d'Europe, priorité est donnée à une nourriture rapide et économique. La situation change, mais dîner au dehors n'a jamais été une habitude sociale écossaise. Par contre, lors d'invitations privées, la qualité des repas est extraordinaire.

FANTÔMES

Un livre qui a l'Ecosse pour sujet se doit de mentionner les fantômes. Tout château digne de ce nom en possède au moins un. Personnellement, je n'en ai jamais rencontré, et la seule histoire de fantôme que je connaisse est celle-ci.

Un jour, nous nous rendîmes à Erchless Castle, sur la rivière Beauly dans l'Inverneshire, rejoindre Maurice Robson pour une chasse au cerf. A cette époque, son garde-chasse était Donald Ross, un célibataire plutôt menu, dans la quarantaine. Donald se querella avec Maurice. La subvention accordée pour l'élevage de moutons, qui revenait à Donald mais devait transiter par le domaine, n'était pas arrivée. Donald n'y croyait pas, et considérait que l'argent avait abouti là où il le fallait, mais que Maurice l'avait empoché. Ce n'était pas le cas, mais Donald, fâché, descendit au pub. Au château, la soirée fut longue. Pourtant, nous étions couchés depuis un certain temps quand quelqu'un frappa à la porte. C'était Jeannie, la sœur de ma femme. «J'entends un fantôme ou une fée qui hurle à la mort», dit-elle d'une voix tremblante. Nous sortîmes pour écouter. Nous entendîmes un son étrange. Une modulation de "Oooo… ah… aah" sur un registre mélancolique. C'était extrêmement angoissant. Nous étions effrayés. Avec bravoure, nous nous lançâmes au dehors pour inspecter les environs. Comme nous nous en approchions, le son devint plus distinct, et nous pûmes identifier : "Au secours !"

Donald avait perdu son chemin en rentrant du pub. Ce n'est pas ce que l'on aurait pu attendre de la part d'un *stalker* qui connaît les collines comme sa poche, mais Donald s'était égaré sur le chemin du retour. Pris en traître par une berge escarpée, il était tombé au fond d'un ruisseau et ne parvenait plus à en sortir. Il était ivre et désorienté. Je descendis le chercher. Des renforts arrivèrent. On me lança une corde. Je la nouai autour des épaules de Donald. Les secours tirèrent. Je poussai. Nous l'avions presque remonté quand plus rien ne bougea. En définitive, nous découvrîmes que Donald avait la tête coincée par un surplomb.

Donald vivait entre deux pièces d'une immense maison, la cuisine et la salle à manger, où il avait installé son lit. Cette maison, conçue pour les parents de Maurice, était somptueuse et regorgeait de meubles anciens, le lit de Donald mis à

part. Quand un hôte tirait un cerf à belle tête, Donald la montait sur un écu d'acajou. Un jour, Maurice rendit visite à Donald. Il découvrit que celui-ci découpait les écus dans la grande table de la salle à manger.

Le chien de Donald était un terrier qui répondait au nom de Patch. Il vivait au bout d'une longue laisse. Maurice ne parvenait pas à comprendre pourquoi la Land Rover de Donald était sans cesse cabossée. Un jour, il trouva. Si Patch apercevait un chien alors que Donald conduisait, il bondissait aux quatre coins de la voiture en aboyant de tout son saoul. La laisse s'enroulait progressivement autour du cou de Donald. Elle serrait, serrait, et il arrivait que Donald perde le contrôle du véhicule, sorte de la route, et aille percuter, pas très vite, non, plutôt à vitesse réduite, un arbre ou un mur. Une fois toutes les lunes, Donald faisait ses courses à Inverness. Il n'achetait que des boîtes de conserve. Il s'investissait dans sa cuisine, et cherchait la variété. Quand il rentrait chez lui, il passait toutes les étiquettes sous l'eau pour qu'elles se décollent. Comme ça, chaque repas était une surprise. Il réchauffait une boîte sur deux et ça donnait, par exemple : riz au lait réchauffé suivi par du bœuf bouilli froid.

L'affaire de la subvention ne fut jamais résolue de manière satisfaisante pour Donald, qui estima y avoir perdu sa fierté. Très tristement, il quitta Maurice et devint éboueur à Inverness.

LES SAISONS

Enormément de touristes visitent les Highlands en été, quand les jours sont les plus longs. Ici, où nous vivons, la nuit est excessivement courte à cette période de l'année. Il est tout à fait possible de jouer au tennis à minuit, et de se lever à trois heures du matin en pleine lumière. Un contraste appuyé avec les jours les plus courts, où l'obscurité se dissipe à neuf heures trente et retombe dès trois heures de l'après-midi, amenant certain gentleman à confondre l'heure du thé avec celle de l'apéritif. Dans un monde parfait, un tel homme pourrait souhaiter ne pas vivre dans les Highlands pendant l'hiver. Il s'en irait aux environs de Noël et ne reviendrait pas avant le début du mois de mai. Mais s'il accomplissait son vœu, ce gentleman manquerait peut-être le plaisir intense qu'est l'arrivée d'un printemps si longtemps attendu. Car le printemps n'arrive pas avant la mi-avril, et lorsque les premières jonquilles apparaissent, toute l'impatience retenue au long du morne mois de mars confine déjà au désespoir.

Dans les Highlands, la nature a un mois de retard sur le sud de l'Angleterre. Là-bas, les premiers champignons sauvages, les mousserons, sont appelés champignons de Saint-Georges parce qu'ils apparaissent vers le 23 avril, date de sa naissance. Ici, ils ne se montrent pas avant le 23 mai, et ils continuent de grandir pendant les deux premières semaines de juin. En ce même début de juin, nous attendons toujours de voir apparaître des feuilles sur les frênes et sur les aulnes, et les jonquilles tardives sont encore en fleurs. Lorsqu'il arrive, le printemps est long et prolongé. Mais l'été dérive rapidement vers l'automne. Septembre et octobre sont des mois magnifiques, quand les arbres changent. C'est la saison du champignon sauvage et du saumon.

Au printemps et en été, de mai à septembre, Strathgarry ressemble à une ruche. La maison est sans cesse pleine de monde. J'aimerais vous parler de ces amis, ainsi que des Ecossais, dont le caractère est aussi – sinon plus – intéressant que leur histoire ou leur géographie, domaines que j'ai survolés au gré de ces pages. Mais ce sera matière à un autre livre.

La pêche au saumon

est un sport d'élite,

pour son coût bien sûr,

mais aussi pour la technique

au lancer à la mouche

qui demande du doigté,

ce qui n'est pas à la portée

du premier venu. La pêche

à la cuiller, considérée

comme trop facile, est

mal vue par les puristes.

Le choix de la mouche est sans doute une des décisions
les plus critiques du pêcheur. Ici lord Thurso
examinant sa collection avant de descendre à la rivière.

La pêche
industrielle
reste un des
piliers de
l'économie
écossaise,
malgré
les quotas
imposés
par la CEE

La préparation et la découpe du saumon fumé
sont des opérations délicates. Les connaisseurs
ne laissent ce soin à personne.

Robert Campbell Preston, d'Inverawe Smokeries (Argyll), prépare les saumons pris
à la mouche dans la rivière Awe. Il est à l'avant-garde de l'élevage du saumon de ferme.
Sa production atteint une qualité comparable à celle du saumon sauvage.

Il existe beaucoup d'excellentes études, très fouillées, consacrées à l'Ecosse. Celle que j'ai consultée le plus fréquemment pour la rédaction de ce livre est la *Collins Encyclopedia of Scotland*, publiée en 1994 sous la direction de John et Julia Keay. Le livre n'est pas disponible en français, et je pense qu'il ne le sera jamais. C'est une étude approfondie qui regorge d'informations. Voici une liste d'autres ouvrages de référence.

The Historic Hotels of Scotland, ARNOLD (Wendy), Thames and Hudson, 1988.

Blue Guide : Scotland, TOMES (John), A & C Black, 1992.

Scotland : the Shaping of a Nation, DONALDSON (Gordon), Professor, David and Charles, 1980.

Encyclopædia Britannica, 11e édition, 1911.

Fodor's 95 Scotland, Fodor's Travel Publications Inc., 1994.

Mary Queen of Scots, The Crucial Years, HAMILTON (The Duke of) Mainstream Publishing,1991.

Life in the Atholl Glens, KERR (John), Perth and Kinross District Libraries, 1993.

Scotland, A New History, LYNCH (Michael), Pimlico, 1994.

The Highland Clans, MONCREIFFE of that ILK (SIR IAIN) and HICKS, (David), Barrie & Rockliffe, 1967.

Lochs and Glens of Scotland, RAMSAY (Paul), Collins & Brown, 1994.

The Stewarts, STEWART of ARDVORLICH (J.), W. & A.K. Johnston's Clan Histories.

The Stewarts of Appin, STEWART (John H.J.) et STEWART (Lt. col. Duncan), Maclachlan and Stewart, Edinburgh, 1880.

Whitaker's Almanack 1995.

Michelin's Scotland, 2nd edition Michelin et Cie, 1994.

Tous les livres de cuisine de Claire Macdonald chez différents éditeurs.

Près de 300 jardins privés écossais sont occasionnellement ouverts au public. La liste complète ainsi que les dates d'ouvertures sont reprises dans une publication, *Scotland's Gardens 1996*, qui peut être obtenue pour 3,25 livres, frais de port inclus, à l'adresse suivante :
The Director, Scotland's Gardens Scheme
31 Castle Terrace
Edinburgh EH1 2EL.

De plus amples informations concernant le Festival d'Edimbourg peuvent être obtenues auprès du bureau permanent :
Edinburgh Festival
21 Market Street
Edinburgh E111 1BW
Tél. : 131 225 5756
Fax : 131 226 7669

Malheureusement, peu d'ouvrages en français :

Ecosse, pierre, vent et lumière, ouvrage dirigé par Kenneth White, série Monde n° 33, Autrement, 1988.

Le grand guide de l'Ecosse, Bibliothèque du voyageur, Gallimard, 1990.

Grande-Bretagne, Hachette Guides bleus, 1983.

ECOSSE

Les premiers "Ecossais" sont des chasseurs et des pêcheurs du néolithique, ils occupent les régions côtières et les îles. Vers **2000 av. J.-C**, un peuple d'agriculteurs, dont on sait peu de chose sinon sa provenance continentale, érige (à Callanish notamment) des monuments et des alignements de pierres. Vers **500 av. J.-C.**, des tribus celtiques, chassées d'Europe centrale, envahissent la Grande-Bretagne. C'est de cette période que datent les *brochs*, ces impressionnantes fortifications, dont les ruines ponctuent les rivages atlantiques.

En **55 av. J.-C.** Jules César débarque en Angleterre. La colonisation du pays s'achève quelque 75 années plus tard. Par contre, malgré la victoire de Mons Graupius en **84**, la conquête des territoires du nord échoue face à la résistance des peuples celtes. C'est la première manifestation d'une farouche volonté d'indépendance qui jamais ne se démentira. Pour isoler les tribus rebelles, les Romains dressent successivement (**122-126** et **142-145**) deux remparts fortifiés, les murs d'Hadrien et d'Antonin. Les clans celtiques imposent progressivement leur loi au nord de cette frontière. Rome renonce à la conquête en **440** lorsque ses légions, menacées à la fois par les incursions des tribus celtes et par les invasions saxonnes, abandonnent la Grande-Bretagne. Saint Ninian, évêque romain, fonde la première mission chrétienne à *Whithorn* en **397**. Un siècle et demi plus tard, en **563**, saint Columba, venu d'Irlande, débarque à Iona pour y bâtir un monastère chrétien de rite celtique. L'influence gaélique s'étend à la culture, la langue et l'art écossais jusqu'à ce que la christianisation de l'Ecosse soit accomplie, à la fin du VIIe siècle. Il ne reste guère de traces des avant-postes civilisés érigés par le clergé celte, la plupart des monastères sont saccagés par les bandes de pillards vikings qui infestent la région à partir de **787**. A cette époque plusieurs royaumes ennemis se divisent l'Ecosse. Les Pictes occupent le nord (sauf certaines zones et les îles abandonnées aux guerriers nordiques) ; les Scots sont implantés en Dalriada, à l'ouest ; Angles et Britons se partagent le sud. En **843**, Kenneth Mac Alpine réunit sous son commandement les tribus picte et scot. Il devient ainsi le premier roi d'Alba, la future Scotia. Dès lors, le royaume d'Ecosse affirme sa force : Edimbourg tombe en **962**, le contrôle des Lowlands est arraché aux Angles en **1018**.

En **1058**, Malcom Canmore III devient roi, succédant à Macbeth qu'immortalisera Shakespeare. Son épouse, Margaret, princesse anglo-saxonne, impose au nord l'usage de l'anglais et du rite catholique romain. A Hastings, en **1066**, Guillaume le Conquérant, roi normand, défait Harold, roi anglo-saxon. Quelques années plus tard, la loi féodale normande s'étend à toute l'Angleterre et au royaume écossais, lorsque Guillaume le Roux, fils du Conquérant, défait Malcolm III. Ses vassaux anglicisés se partagent les Lowlands **(1100-1150)**. L'influence catholique romaine supplante peu à peu celle de l'Eglise celtique. Cette emprise ne s'étend que sporadiquement aux Hautes Terres, en **1295**, pour contrer les Anglais, les chefs de clan nouent avec la France un pacte qui fera date : l'Auld Alliance. Alexander III **(1249-86),** le dernier des Canmore, bat le roi nordique Haakon IV à Largs, récupérant les îles occidentales **(1266)**. Son règne est relativement calme et prospère, comme en témoigne la multiplication des monastères chrétiens et la magnificence des cathédrales gothiques. Par contre, les traditions celtiques restent bien vivantes dans l'est. Quand Alexander meurt sans laisser d'héritier, les Écossais refusent son successeur nommé par le roi anglais Edward I. S'ouvre une longue série de guerres d'indépendance. Défaites et victoires sanglantes se succèdent jusqu'à la victoire écossaise de Bannockburn **(1314)**. C'est à cette époque, pour défendre leurs territoires, que les lords commencent à construire ces forteresses de pierre qui caractérisent les plus beaux paysages écossais. Robert the Bruce – le héros national écossais – obtient finalement le trône en **1320** par la déclaration d'Arbroath, véritable manifeste pour l'indépendance nationale. Les Bruce n'ayant pas d'héritier, la couronne passe par alliance aux Stewart en **1371**.

Robert II Stewart et ses descendants sont confrontés à d'épineux problèmes : longues captivités en terre anglaise (18 ans pour James I), avènements de rois très jeunes (James V n'a qu'un an lorsqu'il est intronisé, Mary n'a qu'une semaine), et par conséquent longues périodes de régence. L'exiguïté, l'éloignement de leur territoire, comme son rare peuplement – il faudra attendre le XVIIIe siècle pour que la population totale du royaume d'Ecosse dépasse le million – limitent leur pouvoir. L'unité est précaire, tout le nord-ouest échappe de fait à leur autorité. La région frontalière est le théâtre d'une guérilla incessante entre bandes écossaises et anglaises. Les paysans sont pauvres, le commerce de peaux, laine ou produits de la pêche n'est pas rentable. Les *land lords*, hobereaux locaux, disputent territoires et récoltes à la noblesse de sang. Le pouvoir de la couronne ne se maintient que sur leurs disputes. Les rois écossais sont plus des chefs de bande que des monarques renaissants, ce qui ne les empêchera pas de récupérer les Orcades et les Shetland en **1468-69**. L'Eglise catholique est la seule force stable, riche et indépendante du pays mais elle n'est pas, comme ailleurs, au service de la royauté. Ces faiblesses chroniques ex-

L'ÉCOSSE EN QUELQUES SIÈCLES

posent les suzerains écossais aux ambitions de leurs vassaux et aux velléités de domination étrangère car, stratégiquement, le contrôle de l'Ecosse verrouillait les défenses anglaises.

Lorsque Mary Stewart accède au trône en **1542**, Henry VIII d'Angleterre déclenche une guerre qui se termine par la destruction quasi totale d'Edimbourg. Fidèles à l'Auld Alliance les Stewart cachent Marie en France. Pendant la Régence les idées réformatrices se développent en réaction à l'opulence et à la corruption qui gangrènent l'Eglise catholique. Une partie croissante de la population se convertit aux idéaux protestants propagés par John Knox. Les lords réformés, réunis en *Covenant*, imposent finalement la réforme puritaine à l'Ecosse en **1560** lors du célèbre Reformation Parliament qui clôt une saison de luttes fratricides entre protestants et catholiques, pro-français et pro-anglais. Mary Stewart, qui a francisé son nom en Stuart, revient en Ecosse en **1561**. Les premières années de son règne sont marquées par la concorde, mais la situation bascule en **1567** après l'assassinat de son troisième mari. La reine est contrainte d'abdiquer par la Ligue puritaine qui ne lui pardonne pas ses idéaux catholiques et les scandales de sa vie privée. Mary Stewart commet l'erreur de se réfugier en Angleterre auprès de la reine Elisabeth I, sa cousine et concurrente. Mary est décapitée en **1587** après dix-neuf ans de réclusion, accusée sans preu-

ve de comploter contre la couronne. Son fils, James IV, hérite de la maison anglaise. Sous le nom de James I, il réunit les deux royaumes.

James I et Charles I, son fils, rois écossais anglicisés, soutiennent l'épiscopat anglican qui encourage leurs visées absolutistes. La réaction des presbytériens ne se fait pas attendre et les guerres de religion embrasent à nouveau le nord. Les luttes d'influence qui opposent les rois au parlement anglais renversent les alliances, les Ecossais renouant avec leurs rois. Les Highlanders emmenés par Monrose sont battus à Philiphaugh en **1645** par l'armée d'Oliver Cromwell, le futur lord protecteur. Charles I est décapité en **1649**. Après une autre défaite à Dunbar, l'Ecosse occupée est rattachée au Commonwealth (union des royaumes d'Angleterre, d'Irlande et d'Ecosse) en **1654**. Pour peu de temps, Charles II Stewart est remis sur le trône en **1660**. Pour imposer, lui aussi, l'épiscopat anglican il déclenche une ère de persécutions (*Killing times*) qui lui survivra. Les covenantaires presbytériens animent la révolte de Monmouth en **1685**, mais l'armée écossaise tombe à Dunkeld malgré la victoire de Killiecrankie **(1689)**. L'intolérance triomphe lors du massacre de Glencoe **(1692)**.

Les descendants des Stewart sont écartés du pouvoir par l'intronisation de la princesse protestante Sophie de Hanovre. Peu après, en **1707**, l'*Union of the Parliaments* institue le Royaume-Uni

d'Ecosse et d'Angleterre. Le parlement écossais est dissous d'autorité au profit de Westminster. En réaction, des mouvements de révolte éclatent dans tout le pays, pour révoquer l'union et restaurer – une fois de plus – les Stewart. Le plus sérieux s'achève en **1715** avec la défaite de Sheriffmuir et la fuite de James VIII Stewart, le "vieux prétendant". Trente ans après, la tentative de Charles Edward Stewart (dit Bonnie Prince Charlie) subit également une fin ignominieuse, lors de la "boucherie" de Culloden (**1746**). Les mesures de répression anglaises, le Disarming Act, accélèrent le déclin du pouvoir des clans, dépouillant les Highlanders de leur armement, leur interdisant l'usage des attributs nationaux (kilt, tartan, cornemuse…), brisant leur isolement par la construction d'un nouveau réseau routier.

L'agriculture et l'élevage des moutons cheviots dans les Highlands font la fortune de l'Ecosse du XVIIIe siècle. Pour cela les propriétaires expulsent les paysans des collines. Ces tragiques *clearances* provoquent un exode massif vers les villes et vers les nouveaux territoires d'outremer : Amérique, puis Canada, Australie, Nouvelle-Zélande… Plus tard, la mode de la chasse à courre et la création d'immenses réserves de gibier achèveront de dépeupler la région.

A la fin du siècle l'Ecosse est au cœur de la révolution industrielle. L'inventeur de la machine à vapeur, James Watt, est écossais ; comme l'économiste Adam

Smith. Les mines de charbon et de fer, les forges, les aciéries, les manufactures textiles et même l'industrie du whisky font la fortune des Lowlands et de la région qui s'étend de la Forth à la Clyde, autour de Glasgow, nouvelle capitale économique. Tandis qu'Edimbourg revendique le rôle de capitale politique et culturelle. Comme ailleurs, l'explosion démographique, qui n'est pas soutenue par une évolution suffisante du niveau de vie, suscite les premiers militants démocratiques. Les revendications dégénèrent en émeutes suivies de sanglantes répressions comme la trop célèbre "Scottish Insurrection" en **1820**. Le sentiment nationaliste ne faiblit pas mais les Ecossais, pragmatiques, restent fidèles à l'Union assurant une présence efficace au Parlement anglais. Les revendications d'indépendance (*Home Rules*) exprimées par le Labour Party créé en **1922** puis par le Parti national écossais créé en **1934**, ne débouchent que sur la création, en **1939**, d'un Scottish Office dénué de réels pouvoirs. Dans les années **20** l'industrie écossaise plonge dans une profonde crise dont elle ne s'est pas encore relevée, malgré la parenthèse des années de guerre. Les nationalisations, le déclin du charbon et de l'industrie lourde, ne sont pas compensés par l'essor du tourisme et la découverte, dans les années **70**, du pétrole de la mer du Nord et son cortège d'industries nouvelles : chantiers navals, raffineries…

Imprimé en Belgique par Casterman à Tournai. Dépôt légal : novembre 1995; D.1995/0053/88.